KB076630

지구로부터의 탈출 3

지구로부터의 탈출 3

지은이 승재우

발 행 2024년 06월 27일
펴낸이 한건희
펴낸곳 주식회사 부크크
출판사등록 2014.07.15.(제2014-16호)
주 소 서울특별시 금천구 가산디지털1로 119 SK트윈타워 A동 305호
전 화 1670-8316
이메일 info@bookk.co.kr

ISBN 979-11-410-9135-4

www.bookk.co.kr

지구로부터의 탈출 3

BOOKK

차례

주객전도

도진을 비롯해 모두는 텔레포트를 통해 한 장소에 도착했다. 그곳은 최대 높이가 1000m 정도 되는 산의 기슭이다. 그리고 그 앞에는 물이 저장된 저장고, 즉 호수가 있다. 지구에서의 지형에 해당했다면 배산임수 구조로, 원시적인 의미의 생활 편의에 더해 여러 가지로 살기 좋은 장소가 되었겠지만, 여기 이곳에서는 그렇지만은 않다.

산과 강에는 먹거리가 없고, 민둥산인 탓에 나무를 활용할 수도 없으며, 굳이 장점을 꼽아보자면 지금 상황에서 기껏해야 로봇의 눈을 피해 잠시 숨을 수 있다거나, 지형을 이용해 거친 날씨를 피할 수 있다는 정도밖에 없는 것이다.

그들이 잠시 머무르기로 계획한 이곳은 여전히 컴컴하고, 싸라기눈과 유사한 형태의 물질 덩어리가 바닥을 적시는 중이며, 강한 바람이 기세등등하게 대기를 차지하고 있다. 그나마 물이 바닥에 얼어붙을 정도의 기온은 아니기에 걱정을 조금은 덜 수 있다는 정도이다. 만약 기온이 섭씨 0도 이하로 내려가는 상황이 되었다면, 아마도 여러 가지 이유로 발을 제대로 디딜 수조차 없는 상태가 되었을 것이다.

그런데, 조금 이상한 점이 있었다. 인류를 없앨 목적으로 적이 메이커에 기후 변화 코드를 넣어둔 것이라면 이보다 더 가혹한 조건을 적용해도 될 텐데, 주변의 지형지물을 활용하면 인간의 생존 자체에는 큰 문제가 없을 정도로 어설프게 설정된 것이다.

그것은 아마도 당사자가 작업 중 실수를 했거나, 그 일련의 과정에서 의도치 않게 그 내용의 일부가 달라졌거나, 또는 적의 그런 행위를 조금이나마 막아주고 있는 무언가가 있다고 생각해 볼 수 있다.

모두는 임시 터전을 짓기 시작했다. 근석의 비행선에서 가져온 몇 가지 도구들로 산을 직선으로 파 동굴을 만들어, 개미굴처럼 주민들의 주거 공간을 만들었고, 각자가 가져온 식량은 모두 모아 적정량으로 다시 재분배했다. 그리고 근석으로부터 피해를 당한 부상자들은 별도로 방을 만들어 그곳에 두었다.

이곳은 임시 터전이기에, 도진과 그의 동료들은 머리를 맞대고 이 상황을 타개하기 위한 의견을 나누기 시작했다.

"시공간이 원래대로 되돌아왔을 테니, 로봇들을 마주할 수는 있겠지만, 과연 로봇들이 얘기를 들어주기나 할까요?"

근석이 마을로 보낸, 시공간을 비트는 공격체는 시간에 따라 그 세기가 줄어드는 일종의 에너지 소모형이었다. 그 사실을 근석이 도진의 세력에 협조하던 당시에 알게 되었으며, 그런 이유로 현재는 마을의 시공간이 원래대로 되돌아와 있는 상태이다.

"우린 그저 네닉 시스템을 이용해서 다른 우주로 탈출을 하면 되니까, 공격 의사가 없다는 것을 강조해볼까 합니다."

도진은, 근석의 마지막 발악으로 인해 마을의 많은 부분이 파괴되었다는 사실을 아직 알지 못하고 있다.

"그렇다고는 해도, 너무 위험합니다. 근석 때문에 잔뜩 약이 올라 있을 텐데."

도진은 로봇들과 대화로 협상을 해보려는 생각 중이다. 어떻게 보면 순진한 제안이기도 하지만, 한 편으로는 이 상황에 가장 적합한 방법이기도 하다. 그 협상이란, 자신들을 로봇들에게 적이 아닌 아군이라는 것을 인식시키고, 마을의 네닉 시스템을 이용할 수 있게 해달라고 요구하는 것이다.

이렇게, 주종 관계가 완전히 바뀌어버렸다.

도진은 자신의 주장을 내세우며 동료들과 대화를 이어나갔다.

"전투 로봇들은 적을 없애고 아군을 보호한다는 개념이 전부입니다. 그리고 그들을 만든 제작자 중 하나가 '나'라는 것을 알아볼 수도 있을 거예요. 그러면 호의적으로 받아들이지 않을까요?"

"글쎄…. 제작자인 캡틴을 가장 위험한 적으로 여길 수도 있을 것 같은데요."

도진은 그 의견에는 반박하지 못한 채 잠시 입을 다물었다. 도진이 마을의 로봇들을 상대하려는데 적절한 근거를 대며 강한 주장을 하지 못하는 이유는, 학습형 인공지능 로봇들이 어떤 식으로 변해 있을지 알 수가 없기 때문이다.

"어쨌든, 네닉 시스템을 차치하고라도, 우린 식량과 자원이 필요합니다. 이대로 있다가는 그냥 여기서 끝나게 될 테니. 다른 방법이 없지 않습니까. 그들은 표현 그대로 지능이 있는 로봇입니다. 우린 무조건 마을로 들어가야 하고, 로봇들이 나에게 설득당할 수도 있다는 아주 작은 기대를 걸어보는 수밖에 없어요. 다른 좋은 방법이 있다면 알려주세요. 그럼 이 의견은 순순히 접도록 하겠습니다."

도진의 그 말에, 이번에는 연구 기술원 모두가 입을 닫았다.

물론 도진의 세력이 로봇들을 제압할 수 있는 이론적인 방법은 많다. 하지만, 그 방법이라는 것도 마을에 있는 시설과 자원을 마음껏 사용할 수 있다는 전제하에서만 가능한 것이고, 로봇들에게 원격으로 에너지를 공급하는 근원인 에너지 분사 안테나에 몰래 침투해서 차단한다거나 하는 방법도 지금 상태에서는 실효성이 전혀 없다고 봐야 한다. 인간이 마을에 들어서는 순간 로봇들에게 발각되는 것은 확실하고, 적대적 행위라고 그들이 판단한다면 즉시 위협을 받게 될 것이다.

사실, 대화로써 협상이라는 것도 엉뚱한 방법이다. 고도화된 기술을 습득하고, 한때 인류의 상위 0.1%에 속할 정도로 지능이 높은 사람들이 모인 이 그룹에서 기술이나 과학적 방법이 아닌, 자신들이 창조해낸 상대에서 무릎을 꿇고 빌어야 하는 식의 방안을 내놓은 것은, 인간 그 자체는 교만하고 허약하다는 애써 숨기고 있던 실체를 적나라하게 드러내는 것이다.

"나의 실수로 이렇게 된 것이니, 내가 마무리를 짓겠어."

로봇과 대면하러 가겠다는 도진의 그 말을 창우가 받았다.

"실수라기보다는 어쩔 수 없던 상황이었잖아. 앞일을 제대로 예상하지 못했다고 자책하는 것은 어리석은 일이야. 혼자 해결하려 하지 말고 함께 하자. 너 혼자 가는 것보다 누구와 함께 가는 게 낫지 않겠어?"

"아니. 차라리 혼자 가는 게 나을 거야. 로봇들은 인간이 가진 그런 감정은 없지만, 적과 아군을 구분하는 능력은 탑재되어 있어. 심지어 우수하기까지 하지. 여럿이 가는 것보다 혼자 빈손으로 나타나면 최소한 당장 위험한 적은 아니라는 것 정도는 알 거야. 로봇들은 위협을 받아야 적이라고 인식하도록 프로그램되어 있으니까, 그것에 의지해봐야지."

그러자 함께 있는 연구원 하나가 말했다.

"혹시 모르니까 위험할 때 쓸 수 있도록, 로봇들이 사용하는 네트워크 신호를 방해하는 장치를 만들어 가는 게 어떨까요?"

로봇들은 서로 무선으로 신호를 주고받아 소통하는 방식을 채택하고 있다. 각자는 여러 가지 목적으로 전파 송수신을 실시간으로 하는데, 연구원이 제안한 말인즉 위험한 상황이 생기면 그 신호를 교란해 시간을 번 후, 얼른 빠져나오라는 의미이다.

"지금 있는 재료로는 기껏해야 반경 10미터 이내에서만 유효할 텐데, 의미가 있을까요."

"없는 것보단 낫지 않겠어요?"

그러자 창우가 말했다.

"로봇들이 그걸 눈치채기라도 하면 어쩌지."

"그럴 일은 없을 거야. 적이 무언가를 숨기고 나타날 수 있다는 데이터는 없을 것이거든. 단 한 번이라도 그런 경우가 있어야 학습을 하지. 그래서 내가 그것을 손에 쥐어 사용하지 않는 한 안전해."

"그나저나…. 협상을 시도하면 성공 여부를 떠나, 텔레포트는 발각이 되겠군."

"상관없잖아. 성공하면 우리가 무얼 하든 로봇들은 신경 쓰지 않을 것이고, 그에 따라 우린 네닉 시스템을 통해 다른 우주로 떠날 것이니 텔레포트가 발각된다고 해서 손해 볼 건 없지. 만약 실패하면 나는 다시 이곳으로 돌아오지 않을 테니 발각될 가능성은 크지 않을 테고."

도진의 말에 그 말을 들은 사람들은 숙연해졌다. 도진은 자신의 목숨을 걸고 나서려는 것이다.

"이러고 있을 여유가 없으니 난 지금 바로 가겠어."

"지금? 조금 쉬다가 가는 게 어때."

그의 동료들은 로봇이 지배하고 있는 마을로 그 혼자 떠나는 것을 말렸다. 하지만 지금 이 프로젝트의 최고 결정권자인 도진은 다른 좋은 방안이 없는 탓에, 자기 생각을 어서 실행에 옮길 수밖에 없다. 그 위험한 생각을 실현하는데 다른 동료를 보내거나, 또는 다른 동료들까지 위험에 빠트릴 수는 없으며, 그는 자신의 직책 그대로 책임을 지려는 것이다.

그렇게 도진이 혼자 텔레포트를 통해 마을로 들어갔다. 그리고 곧 그의 눈에 들어온 장면들이 그를 아연실색게 했다. 마을은 근석의 공격으로 쑥대밭이 되어있고, 네닉 시스템이 있어야 할 장소 역시도 절반쯤 파괴되어 이전의 형태를 제대로 알아볼 수가 없게 되었다. 심지어 만능원료가 보관된 창고 일부도 파괴되어 흔적만 있는 상태이다. 그리고, 로봇들은 공격으로 인해 파괴된 시설물들의 잔해를 치울 생각도 없이 무언가를 뚝딱거리며 만드는 중이다.

그렇다면, 로봇들과의 협상이 문제가 아니라 네닉 시스템을 다시 제작해야 하는 상황에 놓였다. 그러려면 로봇들이 인간들을, 최소한 도진과 연구 기술진이라도 아군으로 받아줘야 가능한 일인데 그 결과가 어떠할지는 예상할 수 없다.

그저 멍하니 마을을 바라보고 있던 도진에게 로봇 하나가 다가왔다. 그러자 순식간에 여러 로봇이 도진을 둘러쌌다. 그로 인해 도진에게 어떤 두려움이 일었다. 그냥 도망가고 싶은 생각밖에 들지 않았다. 그러한 느낌은 그로서는 예상 밖이었는데, 아마도 네닉 시스템이 망가졌다는 좌절감이 그의 용기도 망가트렸을 것이다.

하지만 로봇들은 도진을 바라만 볼 뿐 공격하려는 움직임은 없다. 로봇들은 도진이 이전에 자신들에게 명령하던 존재라는 것까지는 내부에 저장된 데이터를 통해 인식하고 있었지만, 현재의 로봇들에게 그는 아군도 적군도 아니다. 그저 외부의 한 물질이다. 로봇들에게 현재의 도진은 그저 어딘가로부터 집 앞마당에 날아든

돌멩이 정도에 불과한 것이다. 그랬기에 그저 가만히 그를 바라보며 어떻게 행동을 해야 할지 분석하고 있는 중이다.

로봇들이 자신들의 제작자인 도진을 상대로 피아 식별을 해야 하는 이유는, 도진이 근석의 공격을 막기 위해 로봇들을 깨울 때, 그들이 최초 가지고 있던 판단 알고리즘을 재설정했기 때문에 인간을 보호해야 한다는 프로그램은 무용지물이 되었다. 그래서 공격을 받으면 방어를 하고, 적을 없앤다는 단순하면서도 강력한 정책에 따라 움직이는 것이다.

도진은 두려움에 떨렸지만, 애써 담담한 목소리를 내며 정면에 보이는 로봇들을 향해 말했다.

"내가 너희들을 만들었다. 나는 이곳에서 할 일이 있으니 방해하지 않길 바란다."

로봇들은 아무런 반응을 보이지 않았다. 자신들을 만든 존재라는 것은 진작에 인지하고 있었지만, 로봇들은 그것에 아무 의미를 두지 않았다. 자신들을 만들어준 인간, 명령하던 인간을 보호해야 한다는 프로그램, 즉 그 본능은 현재의 그들 내부에서 닫힌 채 숨겨져 있기 때문이다.

잠시 망설이던 도진이 발을 떼어 메이커가 있는 방향으로 천천히 발걸음을 뗐다. 하지만 로봇들은 전진하는 그의 길을 터주지 않았고, 그의 사방으로 로봇들이 둘러싸고 있어 진퇴양난의 상황이 되었다. 로봇들은 도진을 붙잡지도, 놔주지도 않은 채 그저 그의 길을 가로막을 뿐이다.

로봇에게는 오로지 공격과 방어의 이분법적 판단만 존재하는 상태이기에, 겉으로는 고요하게 보이지만 로봇들은 각자가 결론을 내기 위한 복잡한 연산 중이다.

로봇은 그 무리를 대표해 결정하는 리더가 없는 상태이다. 모두가 수평적인 관계이고, 서로의 소통은 무선으로 얽힌 네트워크로 데이터를 주고받으며 이루어진다. 그에 대한 다른 이유는 차치하고, 일단 계급이라는 개념 자체가 아직 그들에게 들어서지 않았다.

로봇들은, 에너지 분사 안테나가 있는 한 체력의 한계가 없기에 게으르지도 않고, 논리와 수치로만 상황 판단과 결정 알고리즘을 통하기에 의견 충돌도 없다. 그리고, 지금 이 순간은 도진에 대한 피아 식별을 위해 굉장한 양의 데이터가 공중으로 떠다니고 있을 것이다. 중립이라는 개념 역시도 로봇들에게는 없기 때문이다. 그들은 어떻게든 도진을 상대로 둘 중 하나의 결론을 내야 한다.

그때, 도진은 한가지 꾀를 냈다. 로봇들이 복잡한 연산을 하고는 있지만, 이런 상황에서 피아 식별하는 기본 원리는 간단하다. 자신들만의 통신 프로토콜로 소통되지 않는 움직이는 상대가 공격을 해오면 적, 공격에 대한 대응을 함께 하면 아군으로 취급한다. 도진이라는 움직이는 물체가 갑자기 나타나 특별한 행동을 취하지 않고 있으므로, 결론을 내지 못하고 있는 것이다.

이 전투 로봇은 예상이라는 것을 하지 않는다. 결론을 내지 못한다는 것은 곧 상대는 적은 아니라는 판단 과정이 머무르고 있다고 볼 수 있다. 즉, 로봇들이 판단 결론을 내는 시간이 길어질수록 도진에게는 유리하다.

도진은 로봇들이 일단 공격을 보류하고 있다는 생각에, 그들을 자극하지 않고 빠져나가기 위해 바닥을 기어 로봇들의 몸체와 자신의 몸이 닿지 않도록 천천히, 그들이 모여있는 촘촘한 사이의 틈을 통해 어딘가로 향했다. 로봇들은 시각 센서를 분주히 작동시키며 그런 도진을 관찰했다. 그것은 도진에게 굉장히 부담되는 시선이다. 만약 센서의 큰 오차를 가졌거나, 또는 연산 과정 편차로 예민하게 반응하는 로봇이 하나라도 있다면 도진은 꼼짝도 못 하고 당할 수도 있기 때문이다.

그렇게 바닥을 한참이나 천천히 기어 그가 도착한 곳은, 이전에는 높아 솟아 있었겠지만 지금은 공격받아 파괴되어 일부만 남아 있는 굴뚝 형태의 어떤 시설물이다. 그것은 분명 군비 목적으로 로봇들이 만든 것으로 보인다.

도진은 지면으로부터 약 2m 정도만 남아 있는 그 부서진 시설물 앞에 가만히 서서 잠시 지켜보고는, 인근에 있던 잔해들 몇 개를 가져와 그 시설물을 복구하는 척을 했다.

뚱땅. 뚝딱.

그럴듯한 도구가 없었음에도, 도진은 어떻게든 잔해물들을 그것에 이어 붙이기 위해 몸동작을 크게 하며 자신의 의지를 드러냈다.

그렇게 약 3분 정도가 흐르자, 로봇들의 움직임이 조금 전과 달라졌다. 일부 로봇은 이 자리를 떠 다른 곳으로 갔고, 몇몇 로봇은 도진이 하는 일을 돕기 시작한 것이다.

도진의 꾀가 정확히 들어맞았다. 로봇들은 도진을 자신들과 함께

하는 아군으로 인식을 했다. 그런데 도진만을 그렇게 여긴 것인지, 아니면 인간 자체를 아군으로 여긴 것인지는 아직 알 수 없다.

로봇들이 충분히 도진을 아군으로 인지했음에도, 도진은 한동안 로봇들과 함께 작업을 했다. 그런데 의외로 도진은 그것을 즐겁게 여겼다. 이 와중에도 공학 기술자의 습성을 버리지 못한 탓이다.

약 2시간 후, 도진은 다시 텔레포트를 통해 동료들이 기다리고 있을 원래의 장소로 되돌아왔다. 그가 나타나자 동료들이 모두 안도하는 표정으로 그에게 모여들어 질문을 던져댔다.

"캡틴, 어떻게 되었습니까? 협상은 잘 되었나요?"

"왜 이렇게 오래 걸린 겁니까?"

"도진, 잘 된 거야? 손에 상처는 왜 그런 거야?"

그에 도진은 한 마디로 그 질문들을 멈추게 했다.

"마을 대부분이 파괴되었습니다. 근석이 비행선을 버리기 전에 무슨 짓을 했나 봐요."

"파괴…? 그러면 로봇들은? 로봇들도 그렇게 되었어요?"

"로봇들은 여전히 그 수가 많습니다."

"그런데, 근석이 그런 것 맞아요? 그 정도로 마을을 파괴했으면 근석이 그렇게 도망갔을 리가 없잖아요. 오히려 신이 나서 더 날뛰었을 텐데."

"그는 이 사실을 모르는 것 같습니다. 아마 이기지 못한다는 것을 알고, 도망가기 전에 겁을 먹고 비행선에 있던 무기들을 쏟아붓고 떠났겠지요."

"그렇다면, 네닉 시스템은…?"

"형체가 30% 정도 남아 있습니다. 코어 부분은 멀쩡해 보이긴 하지만, 나머지는…."

"하아…."

동료들 모두가 탄식의 소리를 내었다.

"로봇들과 협상은요?"

"소통이 안 됩니다. 그런데 다행히 나를 적으로 간주하지는 않았어요. 같은 편으로 인지는 한 것 같습니다."

"다행이군. 그러면 우리가 모두 마을로 가도 안전할까요?"

"당장은 안될 것 같아요. 누구 하나가 본의 아니게 로봇들과 마찰이 생긴다면, 로봇들이 어떻게 태도 변화를 일으킬지는 알 수가 없으니. 그리고, 로봇들이 인간 자체를 아군으로 여기는 것인지, 아니면 개체에 따라 다르게 판단하는지는 아직 파악이 안 되었습니다."

"그렇다면, 일단 마을 주민들은 이곳에 두고, 네닉 시스템을 다시 만들 사람들만 마을에 가서 로봇들에게 아군으로 인식시키면 되겠군요."

"그래야겠어요. 우린 네닉 시스템을 제작하는데 모든 우선순위를 두어야지요. 그런데, 근석과 엘라가 문제군요. 그들이 또 무슨 짓을 벌일지 알 수가 없으니."

"일단 공격과 방어는 로봇들에게 맡기죠. 캡틴 말대로 네닉 시스템을 다시 만드는데 모든 역량을 집중해서, 최대한 빨리 이 우주를 벗어나야 합니다."

“동의합니다.”

그리고 창우가 대화에 끼어들었다.

“도진, 내가 예은을 찾으러 갔다 오겠어.”

“혼자서 뭘 어쩌려고?”

“마을에 갈 수 있는 상황이라면 나에게 무기를 몇 가지 만들어 줘. 그러면 내가 텔레포트를 통해서 근석을 찾아볼 거야, 예은을 데리고 와야 해. 그래야만 해. 예은이…. 아이를 가졌잖아.”

그러자 도진이 길게 한숨을 내쉬더니 말했다.

“무기…. 그건 어렵지 않아. 준비해 주지. 네 애인, 아니, 이제 아내인가? 어쨌든 그녀를 구출하는 건 네가 하고 싶은 대로 해. 하지만 너 혼자서는 안 될 거야. 근석이 네 아내를 데리고 간 건 어쩌면 미끼일지도 모르니, 무얼 하던 모두에게 피해가 가지 않도록 해줘. 진성이 함께 가는 건…. 아, 젠장. 잊고 있었네. 진성.”

흙으로 다져 만든 의자에 앉아 있던 도진이 벌떡 일어서며 말했다.

“네가 마을 주민들과 협의를 해서 추진해봐.”

“좋아. 그렇다면 무기가 준비되면 알려줘.”

“5번과 11번이 창우를 도와주세요. 난 다친 사람들을 살펴보고, 치료제가 될 만한 것들을 마을에서 가져올 테니.”

그렇게 돌아서는 도진의 뒷모습은 꽤 냉정해 보였다. 만약 창우의 아내인 예은이 임신을 했다는 말을 듣지 않았더라면, 창우의 요구를 거절했을지도 모를 일이다.

현재 도진의 최우선 목표는 배신자들과 근석에 의해 더럽혀진

이곳을 벗어나 깨끗한 다른 우주로 다시 빠져나가는 것이다. 그 외의 일에 대해서는 우선순위에서 한참 벗어나 있다.

예상하지 못한 무언가의 발견과 그것의 활용

그로부터 2일이 지났다. 그 사이 도진의 동료들 역시도 마을로 진입하여 로봇들의 반응을 살폈고, 도진과 같은 방식으로 로봇의 신임을 얻어 자유롭게 마을을 돌아다닐 수 있게 되었다. 다만, 어떤 식으로든 로봇들을 자극하지 않아야 한다는 것은 아직도 유효하다.

도진과 연구 기술진은 마을에 있는 만능원료와 생산 시설을 사용해, 근석의 공격으로 부상을 입은 사람들을 치료하기 위한 치료제와 기구를 만들었다. 그 덕분에 부상자들의 회복은 빠르게 이루어지기 시작했다.

그리고 2일이 더 지나, 이번에는 창우가 예은을 구출하기 위한 무기와 각종 도구가 만들어졌다. 그것은 오로지 창우를 위한 것이라기보다는 모두의 호신을 위한 것들이다.

네닉 시스템은 완전히 파괴된 것이 아니었다. 충격에 전체적으로 손상을 입긴 했으나, 그것의 핵심이자 제작이 가장 까다로운 에너지 제어부는 파손 없이 그대로 남아 있어서, 이전 대비 50% 정도의 자원과 시간을 들이면 다시 가동할 수 있어 보였다.

마을 주민 중 일부도 네닉 시스템의 수리와 제작에 투입되었다. 로봇들과 조금이라도 마찰이 있으면 안 되었기에 똑똑하고 몸놀림이 민첩한 이들만 선발되었다.

창우는 예은을 구하기 위한 계획을 세웠다. 계획이라고 해봤자 그녀를 찾아다니며 소지한 무기를 적절한 장소와 시간에 사용한다는 것이 전부이다. 진성이 함께해준다면 큰 도움이 되겠지만, 그는 아직 완전히 회복된 것이 아니기에 안정을 취해야 하고, 그래서 마을 주민 중 군인이나 경찰 등 특수한 상황에서 타인을 제압하는 훈련을 받은 자들 5명을 선정해 함께 하기로 했다. 그리고 창우는 텔레포트의 루트를 찾아가는 방법을 도진으로부터 얻어 수색을 시작했다.

그렇게 텔레포트 분기점을 하나하나 통하며 헤매던 중, 어느 한 곳에 도달했다. 그곳은 도진이 얼마 전 근석의 비행선에서 탈출하기 위해 미리 살펴본, 우주 공간의 어떤 비행체 내부이다. 비행체의 내부 구조는 근석이 사용하던 것과 비슷하면서도 생소한 느낌도 함께 들었다, 산소가 있어 호흡할 수 있고, 지구와 유사하게 중력이 있다. 그리고 조명이나 빛이 전혀 없이 어두운 상태이다.

창우의 일행은 자신들이 가져온 무기를 한 손에 쥐고, 다른 손에는 손전등을 든 채 그 불빛을 최소화해 조용히 주변을 수색하기 시작했다. 빛이 하나 없는 어둠이었기에 작은 빛이라도 발견한다면 그곳이 곧 적이 있는 위치라는 의미가 되므로, 역으로 상대에게 들키지 않기 위해 각자가 들고 있는 손전등의 빛 밝기를 바로 앞 장애물에 걸려 넘어지지만 않을 정도로 낮춘 것이다.

이곳은 지구와 유사한 중력이 작용했기에 이동하기에 무리는 없지만 그 소리는 감출 수 없다는 단점은 있다. 그리고 기체는 조금씩 흔들거렸다. 내부의 어떤 기계 장치가 작동하며 발생하는 간헐적 진동의 느낌이다.

그렇게 수색을 이어갔지만, 빛은커녕 사람이 있다는 흔적조차 전혀 찾을 수가 없었다.

"아무것도 없어요. 그냥 되돌아가는 게 어떨까요?"

함께 온 마을 주민 한 명이 이곳을 벗어나자는 제안을 했다. 하지만 창우는 미련을 버릴 수 없었다.

"조금만 더 가보죠."

창우 역시도 더 이상의 전진은 의미가 없다는 것을 인지하고 있었다. 하지만 자신이 정한 미련의 선을 충족할 때까지 조금 더 움직여보기로 했다. 그것은 예은과 그녀에게서 곧 태어날 자신의 아이를 구하겠다는 막연한 의지이다.

하지만 예상대로, 어두컴컴한 비행체 안을 조용히 헤집고 다녔지만 사람이 머무르고 있다는 흔적은 전혀 찾지 못했다.

"여기가 아닌가 보군. 시간 낭비하지 말고 나가죠. 사람이 있다면 이렇게 어두운 곳에서 지내고 있지는 않겠죠."

창우도 그 말에 동의한다는 의미로 손에 들고 있는 손전등의 강도를 약간 높인 후, 낮췄던 몸을 한껏 폈다. 그리고 그 빛을 정면으로 비추어 왔던 길을 따라가기 위해 몸을 돌렸다.

그런데 그때, 그의 정면에는 커다란 창이 여러 개가 있는데, 전등 빛이 잠깐 그곳을 스침과 함께 그 밖으로 익숙하지 않은 무언가가 시야에 걸렸다. 하지만 그 실체가 명확하지 않았기에 다시 몸을 한껏 낮춰 경계태세를 하며 그쪽으로 다가갔다.

창우와 일행들은 맨눈으로 정면의 물체를 식별할 수는 없었기에 손전등의 강도를 최대한으로 높여 그 창밖을 비추었다. 그러자 손전등이라는 명칭이 무색할 정도로 강력한 빛이 창밖을 비추기 시작했다. 그리고 그 후, 모두의 눈이 커지며 눈썹이 치켜 올라갔다.

"아, 아니, 저건…."

"후아…."

깊은 탄식과 함께 그들은 다른 한 손에 들고 있던 무기를 아래로 떨구었다.

그들이 보고 있는 것은 무수히 많은 비행선이다. 똑같은 모양의 비행선들은 서로 한 치의 오차도 없어 보이는 대열을 빽빽하게 갖추며 우주 공간에 떠 있고, 그 수는 셀 수가 없을 정도이다. 어쩌면, 유명한 해수욕장의 백사장 일정 구역의 모래를 한알 한알 세어 보는 게 더 쉽다고 느껴질 수도 있다.

창우는 그 놀라운 광경에, 예은을 되찾을 수 있다는 희망을 절반쯤 버린 채 그저 멍하게 창을 통해 그것들을 보고 있다.

잠시 후, 창우의 일행은 텔레포트를 통해 다시 마을로 돌아왔다. 그리고 곧장 도진과 연구 기술원들을 모아 놓고 본 것들을 그대로 묘사하여 설명해주었다.

"그런 짓까지 해두었다니…."

동료의 배신감에 대한 부정적인 감정이 다시 떠오르고 있는 도진에게 창우가 물었다.

"그런데, 그렇게 많은 비행선을 제작한다는 게 가능하긴 한 거야?"

그 물음에 도진이 시선을 옮기지 않은 채 중얼거리듯 답했다.

"이곳에서 하기에는 굉장히 오랜 시간이 걸리겠지만, 지구에서라면 아주 빠르고 쉽게 가능하지. 너는 컴퓨터에서 똑같은 사진을 여러 개 복사를 해야 한다면, 어떻게 했지?"

"그냥…. 복사하기 기능으로 복사를 해서, 붙여넣기를 여러 번 하면 되지."

"그거야. 지구에서, 네닉 시스템에서 사용할 내부 데이터 작업을 할 때, 하나의 비행선을 디자인해서 코드화한 후 그 코드를 수많이 복사해 패키징을 하면 되는 것이지. 그리고 이쪽으로 전송하면 그렇게 실체화가 되는 거야. 우리에게 그것은 코코아를 데워 마시는 것처럼 아주 간단한 일이지. 그나저나…. 그런 비정상적인 코드들이 있었는데도 걸러내지 못했다니. 하긴, 그럴 줄 상상도 하지 못했으니…."

도진은 고개를 살짝 떨구어 좌우로 몇 번을 저었다. 그리고 창우가 말을 이어나갔다.

"그렇다면, 근석이 사용하고 있던 비행선은 그 비행선 중의 하나였다는 말이 되는군. 그런데…. 왜 그런 비행선들을 수없이 만들어 뒀을까? 무엇을 위해서? 겨우 500명도 안 되는 우리를 제거하기 위해서 그런 수를 쓴 거라면 이상하잖아."

"아니, 그런 목적은 아닐 거야. 루크나 슌스케는 그 정도로 멍청이는 아니니까."

도진은 이해가 안 된다는 듯 고개를 갸우뚱해가며 그 의문을 풀기 위해 애를 쓰는 듯했으나, 한참 동안 그 자세로 머물러있는 것으로 봐서는 쉽게 풀리지 않을 것 같다. 도진은 정해진 규칙이 있는 현상을 분석하고 그것을 이용해 새로운 것을 만드는 일에는 능숙하나, 사람의 마음과 생각을 여러 방면으로 분석하고 이해하는 데는 재주가 없다. 아니, 재주가 없다기보다는 그 점에 관심조차 두지 않는다.

"그 비행선들을 파괴해야겠어."

그러자 주변이 있는 그의 동료들이 그 말을 받았다.

"그 많은 걸 무슨 수로…."

"이 우주에 있어서는 안 될 물체들입니다. 지구에서 몰래 그런 상식을 벗어나는 것들을 만들어 뒀다는 것은 우리에게 우호적인 이유는 분명히 아니라는 의미이고, 파괴하지 않으면 후환이 클 게 분명하죠."

"그러니까…. 무슨 수로 파괴를 하느냐는 것이지. 네닉 시스템 제작에 집중해도 모자랄 판에 그 수많은 비행선을 일일이 파괴하려면 일이 너무 많아요. 불가능에 가까울 겁니다."

"우리가 하는 게 아닙니다."

"우리가 하는 게 아니라니?"

도진은 미소를 살짝 지은 후 다시 표정을 원래대로 되돌려 말했다.

"로봇들이 우리 대신 그것들을 처리하게 하는 것입니다."

그러자 주변의 몇몇 동료들은 그의 말을 이해했다는 듯 고개를 끄덕였다. 하지만 창우는 아직 그 말의 정확한 뜻을 알지 못했다.

"로봇들이 우리 말을 들을까? 잘못 건드렸다가 우리를 적으로 인식할 수 있어서, 재프로그래밍을 시도하는 건 위험하댔잖아."

"그럴 필요 없어. 비행선이 적이라고 직접 알려주면 되니까."

도진이 계획한 것은, 그 비행선에 가서 이 마을을 향해 공격체를 쏘아 보내는 것이다. 그렇게 되면 자연스럽게 로봇들이 공격체의 출처를 찾아 나서게 되고, 그것을 쉽게 찾을 수 있게 해주면 오래지 않아 로봇들이 일제히 그것을 목표로 공격을 시작하리라는 것이다.

"일단 그렇게 하려면 비행선들의 정확한 위치를 알아야 해. 그래야 실수 없이 이곳으로 공격체를 보낼 수가 있으니까."

잠시 후, 그 계획에 대해 곱씹고 있던 창우가 말했다.

"그런데, 예은이가 그중 하나에 있을 수도 있는데…."

"만약 그곳 어딘가에 있다고 하더라도 그녀를 구하는 것은 불가능해."

그 말을 들은 창우가 대꾸도 하지 않은 채 잠자코 있자, 도진이 말을 더 이었다.

"미련 갖지 마. 우리 역량으로 되는 것과 안 되는 것을 확실히 구분해서 행동해야 해. 지금은 그렇게 해야 해."

도진의 그 말은 냉정하다 못해 상대의 마음을 시리게 만들 정도이다. 그러자 창우가 그 말을 받았다.

"정말, 우리, 아니, 너의 역량으로 안되는 것이 확실해?"

그 질문에 도진은 동문서답을 했다.

"원래의 계획을 실행하는 데만 집중하자. 창우."

둘 사이에 어색한 기류가 감돌았다. 그러자 도진이 무언가를 생각하는 듯하더니 창우에게 말했다.

"그럼 이렇게 하지. 만약 근석과 너의 아내가 그중 하나에 있다면, 그들은 백사장의 모래알 중 하나에 있는 거야. 그리고 그 영악한 놈이 로봇의 공격을 그저 보고만 있지는 않을 테니까 회피 기동을 하겠지. 당장 로봇들의 공격에 당하지는 않을 거야. 네가 본 대로라면 비행선의 수는 너무 많아서, 로봇들이 공격을 감행해도 모두를 다 없애는 데는 오랜 시간이 걸릴 거니까. 내가 그 비행선단을 없애려는 건 만약을 대비한 장기적인 관점에서 그래야 한다고 생각한 것뿐이야.

그래서, 일단 이곳을 무사히 떠나 다른 우주에 도착해서 정착하게 되면, 그곳에서 무언가 방법을 찾아 너의 아내를 구해주도록 하지."

"그렇게, 할 수가 있어?"

"전송로를 없애지 않는 한 가능해. 이곳에 에너지 공급원과 네닉 시스템이 존재한다면, 그리고 전송로가 열려있는 상태라면 우주 간 이동이 어렵지 않게 가능하니까."

"정말로 그렇게 해주겠어?"

도진은 그 대답은 정확히 하지 않은 채 고개를 살짝 기울여 한 번 끄덕였다.

잠시 후, 도진이 세운 계획의 준비를 위해 창우와 그의 일행은 텔레포트를 통해 다시 그 비행선으로 갔다. 빛에 비치어 창밖으로 보이는 수많은 비행선은 다시 봐도 장관이다. 만약 우주여행 코스가 있다면 꼭 이곳을 포함해야 할 것이다.

창우는 도진이 마을에서 보낸 가시 레이저파를 찾기 시작했다. 레이저파란 비행 선단이 있는 위치를 파악하기 위해 우주의 시작점인 마을에서 여러 각도로 방사한 직진성 빛이다.

하지만 창우에게 보여야 할 레이저파가 보이지 않았다. 우주의 시작점에서 다양한 각도로 방사된 강력한 레이저파는, 수많은 비행선에 둘러싸여 있다고 하더라도 그사이의 공간이라거나 다른 비행선에 반사되어 조금은 보여야 한다.

그렇게 소임에 실패하고 다시 마을로 복귀하자, 도진은 그 이유를 알겠다는 말투로 말했다.

"우주에 공간 물질이 채워지는 속도로 떠밀려가나 보군. 아마 그런 부분까지는 계산하지 않고 비행선 디자인 코드를 급조했겠지."

"공간 물질이 채워져? 혹시, 우주 공간이 확장하는 것을 말하는 거야?"

“맞아. 거대한 에너지 뱅크가 터지면서, 공간을 구성하는 특정한 구조를 가진 물질이 퍼져나가는 중인데, 그 속도가 우리가 아는 물리법칙 기준으로 빛보다 빨라. 그래서, 이곳에서 보낸 가시 레이저파가 네가 있던 비행선까지 도달하지 못한 것이지. 비행선은 빛보다 빠른 속도로 이곳에서 멀어지고 있으니까.”

“멀어지고 있어? 그렇다면 텔레포트도 막혔어야 하는 것 아니야? 텔레포트는 고정된 상태여야만 그 통로가 열린다며. 비행선이 멀어진다면 움직이고 있다는 건데, 텔레포트는 문제가 없었거든.”

“비행 선단이 공간 물질과 함께 밀려가더라도, 우주 공간에서 그것이 위치해 있는 절대 좌표는 바뀌지 않겠지. 비행선 자체는 그 위치에 가만히 있는 것뿐이니까. 그러한 상황에서는, 움직임과 이동이라는 개념이 네가 알고 있는 상식과는 달라.”

“그런데, 우리가 얼마 전 있던 그 비행선도 멀어지고 있었던 거야? 근석이 있던 그 비행선 말이야. 그것은 마을의 로봇들에게 공격을 당했었잖아.”

“그 비행선은 상대적으로 마을과 가까이 있었기 때문에, 공간 물질이 퍼져나가는 영향을 크게 받지 않았을 거야. 쉽게 말해, 뭍과 가까운 약한 파도의 바다 위에 떠 있었던 것이고, 네가 다녀온 그 비행 선단은 공간 물질이 채워지는 중인 현장과 매우 근접해 있어서 거센 파도에 떠밀려가는 것처럼 이곳에서 후퇴하고 있다는 것이지.”

“파도? 아, 그러고 보니, 비행선이 흔들거리는 느낌이 들었어. 진동 같은 뭐, 그런 느낌이랄까.”

"진동? 혹시 비행 선단이 여기 이 방향으로 전진을 하는 중인가? 후진을 할 이유는 전혀 없을 테니. 누군가가 비행선이 메이커에서 멀어지고 있다는 것을 알고 작동을 시켰을 수도 있겠군. 만약 그렇다면, 모선이 있다는 말인데…. 음…. 그런데, 그렇다고 해서…. 그래, 비행선이 움직이는데도 텔레포트가 작동했다면 아마도 가속과 정지를 짧은 주기로 반복해서 그럴 거야. 그런데…."

도진은 자신의 손으로 턱을 만지작거리며 무언가를 한참 동안 생각했다. 그 시간이 너무 길어지자 창우가 그의 생각을 끊었다.

"그렇다면, 계획을 다시 짜야겠구나."

"아니. 방법만 조금 바꾸면 될 것 같은걸. 공간을 구성하는 물질을 임시로, 순간적으로 수축시켜서 강한 에너지 파동을 마을을 향해 보내는 거야. 근원지에서 목표와의 거리가 짧아졌기 때문에 그 파동은 짧은 시간 안에 마을로 도착하겠지. 그러면 우리가 고의로 그랬다는 것을 모르는 로봇들은 어디선가 자신들을 공격해 왔다고 인식을 할 거야. 그것을 몇 번 반복하면, 로봇들이 그 근원이 되는 위치를 모호하게라도 찾아낼 거고, 우리는 손 안 대고 코 푸는 격이 되는 것이지."

공간을 순간적으로 수축시킨다는 것은, 텔레포트에 적용된 과학적 기술과 비교했을 때 많은 부분이 다르다. 표현 그대로 일시적이고 국소적으로 공간 물질을 끌어모아 거리를 좁힌 후 필요한 작업을 하는 것으로, 그것이 작용하는 부분에 예상치 못한 방해물이 끼어들지만 않는다면 부작용 없이 사용할 수 있다. 단, 큰 에너지가 필요하기 때문에 그 작용이 오래 지속되지는 않는다.

"그럴듯한 방법이군. 그러면 내가 해야 할 일이 뭐가 있지?"

"공간을 수축시킬 수 있는 장치와 간단한 구조의 보조 로봇 한 대, 그리고 에너지 파동 발생기를 제작해 줄 거야. 그러면 그것들을 가지고 다시 그 비행선으로 가, 그것들을 두고 되돌아와."

"보조 로봇? 그렇게만 하면 되는 거야?"

"네가 해야 할 일은 그게 전부야. 공간을 수축시키려면 직접 그 직선상에 놓인 공간의 가운데에 들어가야 해. 그건 사람이 하긴 어려워. 그 일을 보조 로봇이 대신해줄 거야. 비행선의 외부 출입구를 찾아서, 가지고 간 것들을 밖으로 방출해. 그게 전부야."

"무슨 말인지 알겠어."

"과연 우리가 만든 마을의 로봇들이 어떤 솔루션을 찾아낼지 기대가 되는군."

2일 후, 도진과 그의 동료들은 이 작전에 필요한 도구들을 제작하여 창우에게 넘겨주었다. 이 임무에 사용될 보조 로봇은 인간의 70% 정도 크기에 불과하지만 굉장히 두꺼운 장갑으로 보호되어 있어 육중해 보인다.

그리고 창우 혼자서만 이 일을 감당해야 할 필요는 없기에, 주민 10명이 함께 텔레포트를 통해 한 비행선으로 가, 그것을 외부로 방출하고 왔다. 그리고 모두는 마을에서 멀리 벗어난 곳에 숨어 대기했다.

그리고 다음 날, 저 먼 우주 공간의 한 지점에서는 공간 물질이 순간적으로 수축하면서 파동기라는 것이 도진의 계획대로 작동했지만, 마을에는 아무런 일도 나타나지 않았다. 지면이 지진처럼 흔들린다거나, 시설물이 부서진다거나, 아니면 최소한 심각한 먼지바람이라도 이는 단순한 변화도 나타나지 않고 있는 것이다.

창우는 작전이 실패했다고 생각했지만, 그렇지 않다. 파동기는 로봇의 감각 센서를 자극하는 영역과 범위로만 작동하였기 때문에 로봇을 제외한 다른 부분에는 영향을 주지 않았다. 그에 반해 로봇들은 초비상상태가 되었다. 그들에게는 이 세계를 무너트릴 정도의 강력한 공격이 전해진 것과 마찬가지였다.

로봇들은 일사불란하게 근원을 추적하기 시작했다. 그리고 얼마 지나지 않아 비행 선단의 위치와 규모를 대략 파악했다. 도진의 기대대로, 로봇들이 일을 제대로 수행하고 있는 것이다.

로봇들은 어째서 그 위치에 비행 선단이 있는지, 왜 이곳으로부터 멀어지고 있는지 등 따위에는 관심이 없었다. 오로지 자신들에게 공격을 감행한 그 근원을 제거해야 한다는 목표밖에 가지지 않았다.

도진과 그의 동료들이 만든 로봇의 재능은 대단하여, 순식간에 대응 준비가 된 듯 보였다. 도진은 로봇들이 어떤 방식으로 그들의 적을 무찌를지 구체적으로는 알 수 없으나, 그 행동으로 봐서 짐작은 해볼 수 있다.

로봇들은 지면을 따라 거대한 발사대를 계속해서 만들기 시작했다. 그 일이 과연 끝이 날까 싶을 정도로 수많아, 어쩌면 로봇들이 비행 선단의 기체 수만큼 발사대를 만드는 것은 아닐까 의심이 될 정도이다.

무언가를 우주 공간으로 날려 보낼 용도가 틀림없는 발사대는 지구에서 흔히 칭하던 그것과는 개념과 형태가 다르다. 쉬운 표현으로 재료의 가공과 발사될 공격체의 제작, 그리고 그것의 발사가 발사대 하나에서 원스톱으로 이루어지는 통합형 시설이다.

그 각각의 첫 번째 공정에서는 만능원료를 사용한 거대한 탄환이 만들어지는데, 그것은 마치 여러 종류의 솜사탕을 만드는 것 같다. 그것들은 모두 둥근 형태를 가지고 있다는 공통점이 있지만, 그 개성은 서로 다르다.

기체를 응집시킬 수 있는 작은 공 형태의 핵에 어떤 기체를 분사해 크게 부풀리는가 하면, 용암처럼 꾸덕꾸덕한 불덩이에 온갖 재료들을 둘러 볼링공처럼 만들기도 하고, 아주 단단한 재질을 가득 채워 만들어지는 것도 있고, 등등 그 형태와 사용한 재료, 크기가 너무도 다양하다. 아마도 목표물인 비행 선단에 어떤 탄환이 유효할지 몰라 다양하게 준비하는 것만 같은 느낌이다.

그렇게 각각의 발사대에서 포탄이 준비되면, 그것을 최종적으로 튕겨내며 목표 지점을 향해 공중으로 떠나게 하는 방식이다. 로봇들도 목표물이 마을에서 멀어지고 있다는 것을 알고 있어, 무한에 가깝게 가속하도록 장치하여 쏘아 올릴 것이다.

그로부터 하루가 지났다. 로봇들의 행동이 느려졌다. 그것은 공격 준비가 완료되었다는 의미이다.

발사대가 무수히 늘어서 있는 그 속에 바늘 형태를 한 물체가 그 가운데를 차지하고 있다. 그 물체란 가로 길이가 30km쯤 되고, 마치 그만한 금속 덩어리를 통으로 가공한 것처럼 면이 매끈하게 만들어져있으며, 곳곳에는 둥근 형태의 구멍이 나 있다.

로봇들의 행동이 동시에 일제히 멈추는가 싶더니, 잠시 후 그들의 대형이 바뀌기 시작했다. 자유분방하게 지면 곳곳에 위치해 있던 그들이 한 치의 오차도 보이지 않을 정도로 줄을 맞춰 선 것이다. 그러고는 앞에서부터 줄지어 달리기 시작하더니 바늘 형태를 한 물체의 면에 나 있는 구멍으로 들어갔다.

줄지어 움직이던 로봇의 행렬이 멈췄을 때는, 그들의 전체 수에서 10% 정도가 그 안으로 들어간 후였다. 그리고, 그 바늘 형태의 물체는 마치 순간이동이라도 하는 것처럼 빠르게 공중으로 솟아오르더니 곧장 어딘가를 향해 빠른 속도로 날아가기 시작했다. 곧이어, 지면에 설치된 수많은 발사대에서 포탄이 동시에 발사되기 시작했다.

모든 포탄은 단순히 목표를 향해 직진만 하는 것이 아니다. 각 발사대에서는 에너지 물질이 농축되어 있는 '주 포탄'이라는 것이 우선 발사되고, 그 뒤를 이어 몇 개의 '부 포탄'이 발사되는데, 이른바 중심 역할을 하는 '주 포탄'이 안정적인 진로로 방향을 잡으면, 그 뒤를 따르는 '부 포탄'들이 주 포탄에 이끌리며 그 주변을 맴돌며 따라가는 것이다. 그것은 로봇들이 고안해 낸 영리한 방법이다.

중심을 차지하는 주 포탄은 지속해서 가속 추진력을 얻을 수 있는 큰 에너지 탱크를 가지고 있고, 그것을 따르는 부 포탄들은 에너지 저장 탱크가 작아 목표를 향한 가속과 지속력은 떨어지기 때문에, 주 포탄과 적당한 거리를 두고 그에 의지해 목표로 향하기만 하면 되는 것이다. 주 포탄을 따르는 부 포탄들은 각자의 성질과 특성 등이 달라, 목표물을 다양하고 효율적으로 공격할 수 있다는 장점과 특징을 가지고 있다.

하나의 주 포탄이 먼저 발사되고, 여러 개의 부 포탄이 다음으로 이어 발사되는 과정이 계속해서 반복되었다. 그러면 주 포탄 하나에 부 포탄 여럿이 서로 어우러져 함께 나아가게 되고, 그러다 보면 그 작은 그룹이 또 다른 그룹과 어우러지는 등 그 과정이 반복되어, 진행된 거리에 비례하여 거대한 규모의 그룹이 계속해서 형성되는 것이다. 정말 독특한 방식이다.

그렇게 발사된 포탄들은 무수히 공중으로 날아가는 중이다. 그리고 그 장면은 마치 불꽃놀이를 관람하는 것만 같을 정도이다. 아마 그 포탄들의 발사는, 비행 선단의 규모로 추정해봤을 때 마을의 자원이 20% 정도 사용될 때쯤 멈춰질 것이다.

그렇게 로봇들은 자신들의 역할에 충실하며 나름 그들만의 행동을 이어가고, 인간들은 이곳에서의 또 다른 탈출을 위한 네닉 시스템의 재건을 이어가던 어느 날, 잠깐이나마 이어지던 평화가 깨어지는 사건이 발생했다.

그것은 정말 예상하지 못한 일이었다. 마치 둥근 아이스크림이 녹는 모양새를 한 물체들이, 주민들이 임시로 모여있는 장소의 지면 위를 둥둥 떠서 오가며 터졌는데, 하나가 터질 때마다 정체불명의 액체가 사방으로 흩어지며 피해를 주었다. 그것은 약 30초에 하나씩 나타났는데, 그 근원이 텔레포트였다. 텔레포트를 통해서 출몰한 것이다.

만약 그것이 텔레포트가 아닌 공중이나 지면 어딘가를 통해 많은 수가 동시에 나타났더라면 피할 시간조차 주어지지 않았겠지만, 좁은 텔레포트를 통해 나타났기 때문에 다행히 주민들에게는 그것을 피할 시간이 주어졌다. 그리고 그것을 피하던 마을 주민이 급히 도진이 있는 곳으로 와 그 사실을 알렸다.

"어서, 모두 여기로 오라고 전하세요."

도진은 주민들 모두 네닉 시스템이 보관된 지하 벙커로 모이도록 요구했다. 그리고 덧붙이는 말 한 가지를 잊지 않았다.

"절대로 로봇을 자극하지 않도록 해야 합니다. 말을 걸어서도, 정면으로 마주치지도 말고, 그들의 몸을 스쳐서도 안 됩니다. 무리지어 뛰지도 마세요. 무언가를 그들에게 던져서도 안 됩니다. 서로 1미터 정도 간격을 두고 몸을 최대한 숙인 채로, 곧장 벙커로 들어오세요."

그 말을 들은 주민은 즉시 주민 모두가 모여있던 장소로 뛰어갔다. 그가 도진을 만나러 올 때는 로봇들이 눈에 쉽게 띄지 않았으나, 로봇들을 자극하지 말라는 도진의 말을 들은 후로는 저 멀리 보이는 로봇들에게도 지레짐작 겁을 먹었다.

현재 마을 주민들을 통솔하는 이는 따로 없다. 만약 진성이 부상을 입지 않고 완전한 건강 상태였다면 그가 진두지휘하여 모두를 나름 안전하게 이동시키겠지만, 현재 주민들 사이에서는 그러도록 정해진 인물이 없기에, 그 말을 전해 들은 사람들은 우왕좌왕하며 그곳을 빠져나가기 시작했다. 그리고, 주민들이 그러는 동안 정체 모를 공격체는 계속해서 나타났고, 그 때문에 주민 56명이 부상을 입었다.

그런데 이상하다. 공격 물질의 살상력이 매우 낮았다. 마치 혼란을 일으킬 목적이거나 장난삼아 그러기라도 하는 것처럼 30초마다 하나씩 나타나, 천천히 이동하며 사물에 가까이 다가가면 펵 하고 터지는데, 정면으로 그 액체 물질을 맞아도 피부에 찰과상 정도를 입는 정도에 그치는 것이다. 그보다 더 심하게 다치는 경우는 오로지 그것을 피하려고 뛰어다가 넘어져서였다.

현재 적이라고 칭할만한 자는 근석, 그리고 엘라 정도인데, 이런 식의 공격이라면 근석일 확률이 높다고 생각되었다. 엘라는 인간들을 제거하는 것이 목표이지만, 근석은 마을 주민들을 제거하는 것이 아닌 자신의 백성으로 만들고, 그들의 유전체를 추출하는 것이 목표이기 때문이다.

마을 주민들은 한 명도 빠짐없이 임시로 머물던 그곳을 빠져나가 벙커가 있는 곳으로 향했다. 그런데, 그렇게 조심스럽게 이동하던 대열의 중간에 껴서 대피하던 주민 중 하나가, 어떤 작고 묵직한 물체들을 바닥에서 주워 로봇들을 향해 마구잡이로 던지기 시작했다. 분명 도진의 말에 따라 한 주민이 모두에게 절대로 로봇을 자극하지 말라는 주의를 전했으나, 그러는 그녀는 마치 이때를 기다리기라도 한 것처럼 오히려 그 말의 반대로 행했다.

그저 주변에서 주민들의 이동을 바라만 보던 일부 로봇들이 이제는 주민들에게 집중하기 시작했다. 그런 상황에서도 무리에 속해 있던 한 주민은 계속해서 로봇을 자극했다. 그 근처의 주민들은 그녀의 행동을 말려보려 했지만, 이미 로봇들을 여러 번이나 자극한 후이다. 뒤늦게서야 주민들이 그녀의 팔을 붙잡아 제압했지만, 그녀는 힘껏 뿌리치고 행렬이 가는 반대 방향으로 내달렸다.

그리고, 로봇 하나가 주민들을 향해 다가오기 시작했고, 이내 로봇 둘이 더해졌고, 곧 넷이 더해졌고, 여덟이 더해졌고, 기하급수로 주민들에게 다가오는 로봇이 늘었다. 그러던 중, 가장 앞에 있던 로봇이 쏜살같이 움직이더니 주민 둘을 공시에 공격했고, 로봇의 공격을 당한 주민 둘은 그대로 쓰러졌다.

그에 일부 주민들은 벙커를 향해 달렸고, 또 일부는 다른 방향으로 달렸고, 또 다른 이들은 아예 바닥에 엎드려 버리는 등 순식간에 아수라장이 되었다. 그리고 그 장면들이 로봇들을 더 자극하여 로봇과 주민이 서로 뒤엉켰다.

그렇게 아수라장을 벗어나려 애쓴 주민 중, 벙커로 무사히 들어온 사람은 71명에 불과하다. 그 71명마저도 오는 도중에 로봇들의 공격을 피하느라 많은 수가 부상을 당한 상태이다. 그리고 그 71명 중에는 진성도 포함되어 있는데, 단련된 그답게 정상적이지 않은 몸 상태에서도 위기 상황을 다시 헤쳐나왔다.

네닉 시스템의 재건을 위해 모여있던 도진과 그의 동료들은 밖에서 벌어지고 있는 광경에 아연실색하였고, 일제히 분주해지기 시작했다.

도진은 방금 들어온 주민들에게 급히 다가가 물었다.

"어떻게 된 겁니까?"

그러자 진성이 다가와 호흡을 가다듬고는 그 말에 답했다.

"주민 중 누군가가 로봇의 공격을 유도한 것 같아."

"뭐? 어떤 식으로?"

"무언가를 주워 로봇들에게 던졌다는데, 아마 작정하고 그런 것 같아."

"누구야? 도대체 누가?"

"얼굴은 자세히 보지 못했어. 나와는 멀리 떨어져 있어서."

그러자 그때, 한 주민이 나서서 그 말을 받았다.

"붉은 머리카락의 외국 여자였어요. 가끔 보던 사람이었는데, 한동안 안 보이더니 오늘 갑자기 보이더라고요."

"붉은 머리카락? 혹시 마른 체형에 키가 큰…."

"맞아요."

"젠장…. 엘라가 주민들 틈에 들어와 있었던 거군. 당했어. 또 당했어."

도진은 눈썹과 콧등을 실룩이며 입술을 움찔거렸다. 정말 작은 표정의 변화이지만, 그 모습은 도진이 정말 화가 많이 났다는 표현 중 하나이다.

"이제 남은 방법은, 어서 네닉 시스템으로 빠져나가는 수밖에 없어요. 시험 가동은 건너뛰고 바로 시작하는 편이 나을 것 같습니다. 벙커가 제대로 버텨줄지…."

"로봇들이 이곳까지 진입하려 할까요? 공격 목표가 모든 인간이라고 확대가 되었을까요?”

“알 수가 없습니다….”

지금 이 벙커 안에는 도진을 비롯한 연구 기술원 30명, 창우, 진성, 그리고 주민 70명이 전부이다. 즉, 도진과 함께 다른 우주로 떠날 수 있는 사람은 이들이 전부인 것이다.

벙커 안 다른 장소에 있다가 소란스러운 소리를 듣고, 무슨 일이 생겼는지 궁금해 모두가 모여있는 곳으로 온 창우가 어리둥절한 표정으로 말했다.

“무슨 일이예요?”

“엘라라는 여자가 고의로 로봇들을 자극해서, 로봇들이 주민들을 적으로 간주했나 봐요. 모두 당하고 겨우 남은 사람들은….”

그 말에 창우는 당황하여 이곳에 모인 주민들에게 시선을 돌렸다. 그리고 어딘가로 달려갔다. 다행히 창우의 가족들은 무사하다.

창우는 대부분 시간을, 네닉 시스템을 제작하는 이 벙커에서 지내고 있었으므로 가족들이 가끔 이곳으로 그를 찾아 왔었는데, 그럴 때 주의하라며 로봇들의 시선에서 잠깐이나마 벗어날 방법 몇 가지를 알려준 덕분에 그들은 무사한 것이다. 그 외에 살아남은 다른 주민들도 대부분 연구 기술원의 가족이나 지인들이다.

하지만 그 자체로 창우는 기뻐하지 못했다. 많은 수의 주민이 희생되었고, 인류를 구해야 한다는 대의가 꺾이고 있는 데다가, 로봇들이 인간 자체를 적으로 간주했다면 이곳도 무사하지 못할 것이기 때문이다.

도진은 벙커에서 외부를 볼 수 있는 입체 영상 출력기를 켜, 밖의 상황을 살폈다. 밖은 언제 무슨 일이 있었냐는 듯 이전과 다를 바 없다. 바닥에 쓰러진 사람이 단 한 명도 보이지 않는다. 무슨 이유에서인지, 아마도 로봇들이 정리한 것 같이 보였다. 그 점은 이상하다. 그리고, 다행히 벙커에 대한 추가 공격의 징후는 전혀 느껴지지 않고 있다.

도진은 다시 사람들이 모인 곳으로 돌아와 말했다.

"일단 로봇들이 이곳까지는 건드리지 않을 것 같습니다. 하지만 인간들을 공격한 이상 조금이라도 그들에게 이상한 느낌을 준다면, 아마 이곳도 무사하지 못할 겁니다. 그런 상황이 생기면 이 벙커가 얼마나 버텨줄지 알 수가 없어요. 그래서 우린 최대한 빨리 이 우주를 떠나야 합니다."

그러자 5번 연구원이 말했다.

"그래도 최소한 7일은 지나야 할 텐데요."

"3일. 3일 안에 떠나야 합니다."

"아직 전체적인 시험 가동이 마무리되지 않아서 정상적인 작동이 가능할지 우려가 됩니다."

"최종 시험 가동은 건너뛰고, 각 파츠의 정합성과 개별 정상 작동 여부만 제대로 확인을 하고, 본 가동을 시작하죠."

시험 가동은 최소한의 에너지를 사용하여 각 부분을 동시에 작동시키기 때문에, 만약 특정 부분에 문제가 생기더라도 하드웨어에 타격을 주지 않지만, 본 가동은 그 도중에 문제가 생긴다면 높은 수준의 에너지 흐름으로 인해 자칫 전체 시스템이 크게 망가질 수도 있다.

일부 연구원들은 걱정스러운 표정으로 고개를 저어댔으나, 도진의 그 의견은 틀리지 않기에 따를 수밖에 없는 상황이다. 그 방법이 현재로서는 최선이고, 언제나 그랬듯 도진은 현 상황에서 가장 나은 방법을 제안한 것이다.

그리고 걱정스러운 표정을 짓는 것은 창우 역시도 마찬가지다. 다만 그 원인은 다르다. 창우가 현재 바라는 것은 예은과 곧 태어날 자신의 아이를 찾는 것이다.

창우가 3일 안에 아무런 지원도 없이, 그리고 제대로 된 정보도 없이 혼자 이 우주 곳곳을 사람 하나를 찾기 위해 헤맨다는 것은 몹시 어려운 일이다. 하지만 창우는 그 3일이라는 기간 동안 최선을 다해보기로 했다.

하지만, 나름의 최선을 다했음에도 도대체 근석과 엘라가 어떤 방식으로 어디에 숨어 있는지 도무지 알 수가 없었다. 루크를 비롯한 도진의 배신자 일당들은, 지구에서 이 우주의 환경을 설계할 당시 생각보다 많은 비밀 코드를 몰래 집어넣은 듯 보인다. 인류의 확산을 막는다는, 또는 인류를 제거한다는 전제를 대입해보기에는 불필요할 정도로 조잡하고 많은 장치가 되어있는 것이다.

계획의 포기

모두가 벙커로 피신한 지 3일이 지나, 네닉 시스템으로 또다시 이주를 시작해야 하는 날이 되었다. 창우를 제외하고는 벙커 밖으로 한 발짝도 나가지 않았던 모두는 벙커 한편의 기계실로 모였다.

네닉 시스템의 핵심 하드웨어는 지구에서의 첫 번째와는 많이 다른 형태가 되었다. 크기는 2층 단독주택 정도로 소형화되었고, 소음이나 진동도 적으며, 창우의 역할이었던 인간을 매개체로 전송망을 연다거나 하는 과정도 간편한 방식으로 대체되어 전반적인 운용 방식 자체가 간소화되었다. 그것은 최초로 제작된 컴퓨터 시스템에서 가정용 소형 컴퓨터로 발전한 것과 같을 정도이다.

다만 이동하는 주체가 탑승해야 할 캡슐은 그 형태가 유사하게 유지되었다. 하지만 모두가 동시에 병렬로 사용할 수 있도록 설정되어 있어, 그 효율성 또한 우수해졌다. 이렇게 가능하게 된 것은,

그때보다 더 기술이 발전해서라기보다는 양질의 자원과 무한에 가깝게 사용할 수 있는 강력한 에너지원 덕분이다.

모두는 처음 그때 그랬던 것처럼 입고 있던 옷을 다 벗었다. 하지만 누구도 그때처럼 몸을 가리지 않았다. 이 벙커 안은 네닉 시스템이 작동되면서 내부 온도가 훈훈할 정도로 오르기도 했고, 이제 주민들끼리는 서로 알몸을 드러내도 부끄럽다는 생각을 하지 않게 되었기 때문이다.

전체적인 시험 가동을 해보지 못한 상태라는 것을 제외하고는 순조롭게 진행되는가 싶던 그때, 한 연구원의 떨리는 목소리가 조용한 공간에 울려 퍼졌다.

"신호 융합기가 정상적으로 작동하지 않습니다."

그 말에 도진이 먼저 반응했다.

"구체적으로, 어떤 상태입니까?"

"스캐너 결합 부위에, B타입으로 변환된 에너지의 공급이 지연되는 것 같습니다. 타이밍이 반복적으로 어긋나서 융합기가 제대로 작동되지 않고 있습니다."

"소프트로 해결이 가능한 문제라면,"

"그걸로는 안됩니다. 점검해보니 전체 시스템으로 공급되는 에너지의 수준 자체가 낮아 보입니다. 이 정도라면, 아마 곧 다른 부분에서도 문제가 생길 겁니다."

전체적인 시험 가동을 해보지 않은 상태에서는, 본격 가동 시 문제가 일어날 수 있다는 것은 충분히 인지하고 있다. 그런데 시스템으로 공급되는 에너지 수준이 낮다는 것에 도진은 의문을 제기했다. 이곳에서 사용할 수 있는 에너지는 풍부하고, 네닉 시스템은 그 에너지의 아주 적은 양을 적절하게 변환하여 소모한다.

"에너지 수준이 낮을 리가 없지 않습니까. 그렇다면…. 어떤 계산 값이 잘못 들어갔다는 건데."

도진와 몇몇 연구원들은 이 문제의 원인을 파악하기 위해 각자의 방식으로 생각을 거듭했고, 내부 프로그램 설정을 모두 다 다시 확인해보려던 찰나, 또 다른 한 연구원이 무언가가 떠올랐다는 듯 말했다.

"혹시 로봇들 때문 아닐까요?"

그러자 일제히 고개를 끄덕이거나 호흡을 길게 내뱉는 등의 표현으로 그 말에 긍정의 반응을 보였다.

로봇들은 현재 저 멀리 떨어져 있는 적인 비행 선단을 향한 포탄을 제작하고 발사하느라 큰 에너지를 소모하고 있다. 비록 현재 기준으로 이곳에서 사용할 수 있는 에너지 그 자체는 무한에 가까우나, 그것은 전체 양이 그렇다는 것뿐 순간적으로 사용할 수 있는 에너지의 크기는 한계가 존재한다. 즉, 로봇들이 현재 가용 에너지 크기를 최대한도로 사용 중인 것이다. 그러한 점을 고려하지 않고 네닉 시스템을 설계했다면, 당연히 에너지 수준이 순간순간 낮아지는 현상이 나타날 수밖에 없다.

그 말을 들은 도진이 먼저 응했다.

"그렇다면 로봇들이 사용 중인 에너지를 네닉 시스템이 가동되는 동안 몰래 끊어야 할 것 같은데, 아무래도 쉽지는 않겠군요."

그렇게 잠자코 생각하던 도진이 창우를 바라보았다. 그리고 그에게 다가갔다.

"창우, 이번에도 네가 중요한 일을 좀 해줬으면 하는데."

창우는 눈만 살짝 감았다 뜨며 말해보라는 표현을 했다.

"네가 저 밖에 있는 로봇들의 포탄 발사대 몇 개를 망가트리고 왔으면 하는데."

그 일은 창우보다 진성이나 그와 관련된 훈련이 되어있는 사람이 제격이지만, 진성은 아직 부상에서 완전히 회복되지 않아 빠르게 뛰기는 쉽지 않고, 도진과 연구 기술원들은 네닉 시스템의 가동으로 인해 한 명도 빠질 수가 없는 상황이고, 그 외 남은 다른 주민들은 이에 대한 지식이나 몸놀림으로 봤을 때 창우보다 나을 게 없어 보인다. 그래서 그 일을 할 수 있는 선택은, 현재로서는 창우밖에 없다.

창우는 내키지 않았지만 어쩔 도리가 없다는 생각에 그것에 응했다.

잠시 후, 로봇들의 감지 센서에 포착되지 않을 정도인 초소형 원격 정찰 장치로 발사대의 구조와 형태를 재빠르게 살핀 한 연구원이 그 구체적인 방법을 제시했다.

"발사대 주변으로 강한 에너지장이 형성되어 있을 텐데, 여기 보이는 이 부위에 차폐 그물을 던지면 에너지 공급이 약해질 겁니다. 발사대 3대만 이 작업을 수행하면 네닉 시스템 전체에 에너지를 공급하는 데는 문제가 없을 거예요."

창우가 걱정스러운 표정으로 말을 받았다.

"그런데, 그걸 로봇들이 눈치를 채면 어쩌죠? 발각되면…."

연구원이 정찰 장치로 촬영한 화면을 보여주며 말을 이었다. 화면에는 마치 드넓은 들판에 강아지풀을 일정 간격으로 띄엄띄엄 심어놓은 것처럼 발사대가 셀 수 없을 정도로 늘어서 있다.

"보시는 대로 로봇들이 발사대를 일일이 관리하고 있지 않습니다. 이만큼 많은 발사대 중 3대 정도 공급 에너지가 약해졌다고 해서 로봇들이 관심을 보이지는 않을 겁니다."

그 생각은 철저히 인간의 관점이다. 융통성이라는 이름으로 규칙과 규정을 때때로 어기는 인간들과는 달리, 로봇들은 정해진 루틴과 프로그램을 따라 판단하고 움직인다.

그러자 창우가 조금은 불편한 심기를 담아 말을 받았다.

"정말로 그럴까요? 로봇들은 민감하게 반응할 것 같은데…."

"그래서, 에너지 공급을 완전히 끊지 않고 약화시킨다는 겁니다. 사실, 에너지 공급을 끊는 방법을 쓴다면 발사대 한 대만 무용지물로 만들어도 됩니다. 하지만 그렇게 되면 발사대가 작동하지 않아 로봇들이 알아채고 조처를 하려 하겠죠. 그러면 박창우 씨도 금세 발각이 될뿐더러 애써 에너지 공급을 끊은 게 의미가 없어집니다.

하지만 잠깐 동안만 약화를 시킨다면, 그것이 반복되지 않는 한 로봇들이 바로 조처를 하지는 않을 것이므로, 우리가 빠져나갈 동안의 시간을 벌 수 있습니다. 이 점은 이미 간단하게 실험을 해봤습니다. 물론 로봇들이 실제 상황에서는 그에 대해 어떻게 반응할지 완벽하게 알 수는 없지만, 그 의미는 있을 겁니다."

창우는 여전히 그와 다른 생각이 들었지만, 하는 수 없다는 생각이 들었는지 그저 고개만 작게 끄덕였다.

차폐 그물 5장은 오래지 않아 제작되어 창우의 손에 넘겨졌다. 그것은 모두 30kg 정도의 무게이기에 혼자 짊어지고 먼 거리를 움직이는 것 자체가 쉽지 않다. 하지만 로봇들에게 들킬 수 있다는 우려 때문에 혼자 움직여야 한다.

창우는 손전등 하나와 차폐 그물을 들고 벙커를 빠져나가는 두꺼운 문 앞에 섰다.

'이런, 무전기를 빠트렸군. 어쩐다. 혹시 연락할 상황이 생길지 모르니 가져와야겠어.'

창우는 들고 있던 차폐 그물을 바닥에 조심스럽게 놓고는 다시 몸을 돌려 왔던 길을 되돌아갔다. 그리고 연구 기술원들이 바쁘게 움직이고 있는 기계실을 지나 벽면에 놓인 테이블로 향했다. 그런데 그때, 도진과 몇몇 연구원들의 대화 내용이 귀에 들어왔다.

"너무 복잡하고 번거로운 솔루션입니다."

묵직한 느낌의 그 말은 창우의 발길을 붙잡았다. 창우는 그 대화의 주인공들이 보이지 않게 그 근처로 몸을 숨겨, 그쪽으로 귀를 기울였다.

곧장 도진의 목소리가 들려왔다.

"내 생각도 그러합니다. 이미 에너지 제어조차 마음대로 할 수 없는 상태가 되어버린 이곳에, 사람 하나 구하겠다고 다시 와서 위험한 사람들과 숨바꼭질을 해야 한다는 게 내키지 않는군요."

"그렇다면 미스터 박에게 말한 건…."

미스터 박이란 외국인 연구원들에게는 창우를 의미한다.

"말이라도 그렇게 하지 않으면, 그가 혹시 다른 생각을 하게 될지 걱정이 되어서 말이죠. 뭐, 거짓말을 한 것은 아닙니다만, 정말로 그렇게 해야 할지 의문이 들긴 합니다."

"그보다…. 전송로를 완전히 닫지 않고 놔두면 조나 엘라가 무슨 짓을 할지 몰라, 굉장히 위험합니다."

그러고는 잠시 정적이 흘렀고 도진이 말했다.

"동의합니다. 창우에겐 안타깝지만, 만약 다시 이주에 성공하게 된다면 이곳을 초기화할 방안을 적용해볼 생각입니다."

"미스터 박이 가만히 있지 않을 텐데요."

"물론, 즉시 그러지는 않을 겁니다. 나는 창우와 한 약속을 지킵니다. 다만, 현실적으로 이곳에서 적의 근거지를 찾는 건 어려울 것이기 때문에, 내 생각은 그 결과에 대해 부정적입니다. 그래서 일정 기간 안에 의미 있는 결과가 나타나지 않으면, 이곳을 초기화시켜 깨끗하게 만들어버릴 생각이죠."

초기화란 말 그대로 이 우주를 원래대로 되돌린다는 뜻이다. 그렇다면, 이 우주는 메이커를 제외한 모든 것들이 사라져버리게 된다. 즉, 더는 근석과 엘라, 그리고 날뛰고 있는 로봇들에게 도진과 그 일행이 괴롭힘을 당하지 않아도 된다는 의미이다.

그 말을 다른 연구원이 받았다.

"그것보다 쉬운 길을 가는 게 어떻습니까. 네닉 시스템의 사용이 끝난 직후 시스템이 자동으로 파괴되도록 해버리는 편이 나을 겁니다. 그러면 근석이든 엘라든 로봇이든, 서로 치고받고 자기들끼리 싸움질이나 해대겠죠."

연구원 몇몇은 음흉한 웃음소리를 냈다. 그러자 도진이 그 말을 받았다.

"우리가 그들처럼 행동할 필요는 없습니다. 우린 악마가 아닙니다."

그 말에 다들 웃음을 멈추었다. 그 대화를 모두 들은 창우는 그들에 대한 실망감에 어쩔 줄 몰랐다. 당장 그들 앞에 나타나 말싸움이라도 벌여야 할지, 아니면 틀린 말은 아니었기에 모른 척해야 할지 고민이 되었다.

창우는 고민을 멈추고 다시 벙커의 출입구 쪽으로 갔다. 그리고 바닥에 놓아둔 차폐 그물을 들고 벙커를 나섰다.

벙커 밖으로 나간 창우의 시야에는 곳곳으로 흩어져 있는 수많은 로봇들이 희미하게 보였다. 하지만 이미 적에 대한 공격 솔루션이 만들어져 실행되고 있는 상황에서의 로봇들은, 대부분이 할 일을 잃고 임시 대기모드가 되어 곳곳에 누워있기에 위협적인 상황은 아니다. 하지만 그들이 누워있다고 해서 작동하지 않는 것은 아니다. 표현 그대로 임시 대기 상태이기에, 모든 감지 센서들은 작동 중이므로 주변의 특이점에 대한 식별은 가능하다.

창우는 거대한 구조물들의 벽을 따라 조용히 움직였다. 로봇들은 특별히 자신들에게 위험신호가 있지 않은 한 멀리서 움직이는 물체에 굳이 과민반응을 하지 않는다.

그렇게 잠시 후, 창우는 연구원이 지정해준 한 발사대 앞으로 가서 섰다. 발사대에서는 재료와 물질들이 가공되며 거대한 포탄이 만들어지는 중이다. 그리고 굉장한 소음과 먼지, 가공 잔여물들로 어둡고 칙칙한 분위기를 내고 있다. 게다가 고온의 열을 식혀주는 장치가 있는 듯한데도 그 열기가 주변으로 뿜어져 나와, 그 근처에 오래 서 있을 수 없을 정도이다.

창우의 주변에 로봇은 없다. 그렇다면 임무 수행에 최적화된 기회인데, 그는 그 앞에서 그저 관광이라도 하는 것처럼 조금 뒤로 물러나, 여유롭게 화롯불을 보는 것처럼 물끄러미 그것을 바라만 보고 서 있다. 서둘러 차폐 그물을 그것의 에너지 흡입부로 추정되는 부분에 던지고 와도 부족할 상황에, 그저 그 앞에 멀뚱히 서 있는 것이다.

그는 다시 고민하는 중이다. 만약 이 임무를 성공적으로 수행한다면 네닉 시스템은 정상적으로 가동될 것이고, 아마도 다른 우주로의 이주도 문제없이 진행될 가능성이 크다. 하지만 그렇게 된다면 예은과 그녀에게서 태어날 아이는 더는 못 보게 될 확률이 높다.

창우는 자신의 손과 발이 차가워지는 것을 느꼈다. 그의 머릿속에서는 상반되는 생각이 서로 다투는 중이다.

결국, 창우는 들고 있던 차폐 그물을 바닥에 내려놓았다. 그리고 잠시 발사대에서 포탄이 만들어지는 과정을 가만히 지켜보았다. 그러고는 아무것도 하지 않은 채 몸을 돌려 다시 벙커로 되돌아왔다.

창우는 굳은 표정으로, 마치 윤활유가 말라버린 로봇이 삐걱대며

걷는듯한 모습으로 도진이 머무르고 있는 장소로 왔다. 그가 보이자 도진이 눈빛으로 임무의 성공 여부를 물었다.

"열기가 너무 강해서 그 지점까지 접근할 수가 없었어. 해야 할 일을 하지 못하고 왔어."

그는 사실과 거짓이 섞인 답을 했다. 그러자 도진과 그의 동료들이 심각한 표정으로 다시 모여들었다.

사실 창우는 이 임무를 완전히 망치려 한 것은 아니었다. 그저 도진이 이 우주를 삭제하려는 그 생각을, 조금이나마 바꿀 방법을 찾기 위한 시간을 벌기 위해서였다.

다시 연구원들이 모여 대책을 논의 중일 때, 갑자기 '쿵'하는 소리가 몇 차례 들려오더니, 이번에는 '지잉'거리는 불쾌한 소리가 이어지기 시작했다. 한 기술원이 급히 외부를 확인할 수 있는 입체 영상 출력기를 켰을 때, 그것에서 수많은 로봇들이 벙커의 지상 부분에 달라붙어 어떤 공격을 감행하는 모습이 보였다. 그 로봇들의 목적은 이 벙커를 박살 내고, 그 안에 있는 인간들을 잡으려는 것이 분명해 보였다.

로봇들을 그렇게 이끈 것은 창우의 실수 탓이다. 창우가 발사대 근처에 선 채로 오래 머물러 몸 전체를 노출한 데다가, 차폐 그물마저 그곳에 두고 온 것이 화근이었다. 게다가 어떤 상실감에 젖어, 벙커로 돌아올 때 방심하여 로봇들의 시선을 아랑곳하지 않고 움직였다.

그런데, 창우의 그 행동을 주시한 것은 전투 로봇이 아니라 기술 로봇이었다. 기술 로봇은 전투 로봇과 다르게, 어떤 일이 일어나지 않았더라도 현재 상태로부터 유추해서, 앞으로의 일을 예상하여 일을 처리할 수 있도록 프로그램되어 있다. 아니, 정확하게는 원래 없던 기능이었으나, 학습 알고리즘이 파생되며 스스로 만들어낸 기능이라고 볼 수 있다. 도진과 그의 동료들이 만든 로봇이지만, 도진은 로봇들이 그렇게까지 발전했다는 것을 모르고 있을 것이다.

기술 로봇들은 이전까지는 특별한 행동을 내보이지 않다가 무슨 이유에서인지, 주민들이 정체불명의 공격체를 피해 이 벙커 안으로 들어오다가 전투 로봇들에게 당한 그때부터 그들이 본격적으로 움직이기 시작했다.

기술 로봇들은 창우가 벙커 밖을 처음 나간 후부터 추적을 시작했고, 그의 행동 하나하나와 그가 두고 온 차폐 그물까지 분석했다. 그리고 전투 로봇들에게 인간들은 자신들에게 위험한 존재이며, 당장의 적이라는 개념을 공유했다.

로봇들의 공격에, 나름 평온을 유지하던 벙커 안은 순식간에 우왕좌왕 어수선해졌다. 하지만 다행히도 벙커의 표면으로는 여러 가지 보호층이 형성되어 있으므로, 단순히 반복적인 물리적 충격만으로는 쉽게 뚫리지 않는다. 다만, 로봇들이 벙커 안의 인간들을 적으로 간주하여 공격을 시작하였으므로, 앞으로 어떤 새로운 공격 방법을 쓸지 알 수 없다.

그동안 담담한 태도로 여러 위기에서 벗어나던 도진의 언행이 이번에는 많이 달라졌다. 그는 조용히 따뜻한 물을 한잔 가지고 오더니 그것을 홀짝거리며 동료들을 모아 놓고 말했다.

"참 어려운 일이군요."

그 한마디를 입에서 꺼내고는 잠자코 찻잔만 기울였다. 그러자 주변의 동료들도 하나둘 일어나 따뜻한 물을 한 잔씩 들고 왔다. 그리고는 그들 역시도 아무 말 없이 잔만 기울였다. 마치 로봇들의 공격 소리를 음악 연주회라고 여기는 듯, 모두는 아무 말 없이 그저 각자의 방식으로 가만히 머무른다.

그들의 그러한 행동은, 이제 모든 것을 내려놓겠다는 의미이다. 이제 도진과 그의 동료들은 인간의 유전체를 보호하고 유지한다는 애초의 목표와 고도화된 과학 기술, 다른 세계에 대한 호기심, 그리고 지구에서는 감히 할 수 없었던 유토피아의 건설과 발전된 형태의 사회를 이루어내겠다는 다짐을 포기한 듯하다.

창우는 그들의 행동을 가만히 지켜보다가, 갑자기 큰 소리로 말을 건넸다.

"내가, 내가 다시 아까 그 일을 마무리하고 온다면, 내 부탁 하나만 들어줄 수 있어?"

도진은 그 말에는 답하지 않고, 잠시 뜸을 들인 후 응했다.

"창우, 그동안 고생 많았어. 너도 따뜻한 물 한잔 떠서 여기 앉아. 그동안 제대로 된 여유를 즐기지도 못했잖아."

그 말에 창우는 죄책감에 눈물을 흘렸다. 그리고 도진은 표정의 변화 없이 그를 가만히 바라보더니 아주 잠깐의 옅은 미소를 보였다. 그리고는 창우에게 물었다.

"그 부탁이라는 게 뭐야?"

"어떤 식으로든, 어떤 방법으로든 예은과 나의 아이를 구해줘. 당장이 아니더라도, 언젠가 그럴만한 상황이 된다면 말이야."

"너도 나와 같구나."

창우는 도진의 동문서답에 조금은 당황하여 그 의미를 생각해보았지만, 이해가 되지는 않았다. 그리고 창우가 그 말에 반응이 없을 줄 알았다는 듯 도진이 말을 이었다.

"나도 인간의 유전체를 유지시키기 위해 이러고 있는 것이고, 너도 인간의 유전체를 유지시키기 위해 그러는 거잖아. 우린 같은 목표를 가지고 있구나, 하는 생각이 들었어."

표면적으로는 틀린 말이 아니지만, 그것은 그저 말장난에 불과하다. 도진은 인간이라는 종족 자체를 보전하여 후세를 이어야 한다는 대의를 가지고 있고, 도진은 자신의 유전체를 남기겠다는 다짐을 가지고 있다. 이타성과 이기성이라는 개념을 각각에 대입해보면 정반대의 가치를 지니고 있다고 볼 수도 있다.

창우는 도진에게 무슨 말을 건네더라도 그저 장난스러운 말만 들을 것 같다는 생각에 행동으로 옮겨버리기로 했다.

"내가 다녀오겠어. 만약 성공한다면 내가 한 부탁은 꼭 들어줘."

도진은 부정도 긍정의 표현도 하지 않았다.

창우는 도진의 대답 따위는 듣지 않겠다는 듯 다시 벙커를 나서는 출입구로 갔다. 하지만 아까의 그 출입구가 아닌 다른 곳이다.

벙커에는 비밀 출입구가 있다. 어차피 외부로 연결되는 것은 마찬가지이기에 그동안은 굳이 이용하지 않았을 뿐이다. 하지만 로봇들이 벙커에 들러붙어 있는 상황이므로, 이제는 그 비밀 출입구의 가치가 상승해있다.

창우는 벙커로부터 먼 장소까지 지하로 연결된 통로를 통해 지상으로 올라갔다. 로봇들은 벙커의 지상부에 빽빽하게 모여들어 타격을 가하고 있고, 그 방식은 통하지 않으리라는 것을 알게 되었는지 일부가 다른 곳에서 무언가를 준비하는 듯한 행동을 보이고 있다.

아까와는 다르게 창우의 마음이 조급해졌다. 그는 몸을 최대한 낮춰 빠르게 이동하여, 임무에 실패했던 그 발사대로 갔다. 다행히 그곳에는 차폐 그물이 그대로 남아 있다.

'잠깐만, 어차피 이렇게 된 거, 발사대 하나를 못 쓰게 만들어 버리면 되잖아.'

창우는 자신의 손에 이제 막 들려있게 된 차폐 그물을 빤히 바라보다가 그것을 바닥으로 내팽개치고, 자신의 옷 주머니에 들어있던 원거리 무기를 빼 들었다. 그리고 그것을 에너지 흡입부라고 알고 있던 부분에다 조준해 발사했다.

그가 손에 들고 있는 그 무기를 힘주어 쥘 때마다 그것은 '푸슉, 붕'하는 소리를 내며 조준된 방향으로 액체이기도 기체이기도 한 물질을 분출했고, 그 분출된 물질에 맞은 부분은 순간적으로 얼려졌다가 깨어지며 가루가 되어 형체가 사라졌다.

그가 무기를 그렇게 여러 번 사용하자, 발사대의 작동이 갑자기 멈추었다.

윙윙, 끄럭, 끄럭, 훅, 훅

발사대는 꽤 요란한 소리를 내었고, 당연히 로봇들이 눈치를 챘다. 창우는 태어나서 이렇게 힘껏 뛰어본 적이 있을까 싶을 정도로 빠르게 움직여 무사히 벙커 안으로 들어갔다. 그리고 이제 비밀 출입구는 더는 비밀이 아니게 되었다.

창우가 모두 모여있는 장소에 다다랐을 때는, 이미 연구 기술원들이 분주하게 움직이고 있었다. 네닉 시스템의 에너지 공급 수준이 정상적으로 되었다는 것을 즉시 알아채고 움직이고 있는 것이다.

도진과 창우가 잠깐 눈을 마주쳤고, 도진은 별말 없이 고개만 살짝 끄덕여주었다. 그것이 고마움의 표시일 뿐인지, 아니면 창우가 요구한 것을 들어주겠다는 의미인지는 알 수 없다. 그리고, 가지고 있던 죄책감을 덜어냈다는 생각과 급격히 풀어진 긴장감에 창우는 바닥에 쓰러지듯 주저앉았다.

그렇게 네닉 시스템의 정상적인 가동이 시작되었다. 에너지 공급은 충분하고, 모든 하드웨어와, 소프트웨어, 내부 신호 흐름과 기계 구동에도 문제가 없다. 하지만, 이번에는 그 외적인 문제가 발생했다.

네닉 시스템이 마련된 벙커에는, 마을 전체적으로 퍼져있는 여러가지의 에너지 성분에 영향을 받지 않게 그 외부를 따라 강한 차폐판이 둘려있으나, 로봇들의 반복된 공격으로 벙커 상단의 일부에 작은 균열이 일어난 것이다. 그 때문에 그 사이로 방해 요소가 스며들어, 네닉 시스템의 시스템 구성 중 일부의 정밀도에 영향을 주고 있다.

"이대로 괜찮을까요? 아무래도…."

한 기술원의 물음에 도진은 자신의 이마를 문지르기만 하며 답을 하지 않았다. 잠시 후 도진이 모두에게 소리쳤다.

"일단 모두 비밀 공간으로 대피합시다. 나를 따라오세요."

"그렇다면 네닉은? 이주는 포기하시는 겁니까?"

"포기? 아닙니다. 다음 기회를 노려보자는 겁니다. 가만히 생각해보니, 우리가 만든 로봇 따위에게 당한다는 건 너무 억울하군요."

"이곳은 로봇들에게 파괴되겠죠?"

"아니요. 우리에게 파괴될 겁니다."

"네? 그게 무슨…."

"이곳 전체를 폭발시켜서 로봇들이 착각하도록 만든다는 의미입니다."

"폭발과 함께 인간들이 사라졌다고 믿게 만드는 작전입니까?"

"뭐, 잘 될지 모르겠지만, 폭발을 하면 20분 정도는 시간을 벌 수 있습니다. 우리는 비밀 공간에 잠시 숨어 있다가, 그 틈에 텔레포트를 통해 이곳을 빠져나가 한숨 돌립시다. 너무 이 일에 매달렸더니 이젠 휴가를 좀 가고 싶군요."

도진은 평온한 표정으로 잠깐의 너털웃음을 지었다. 주변의 모두는 도진의 그런 모습을 보는 것이 처음이다. 하지만 그 표정은 오래지 않아 원래의 무표정으로 되돌아왔다.

그는 비밀 공간에 숨은 채로 벙커 내부를 폭발시켜, 로봇들의 관심에서 잠시 벗어나려고 하는 것이다. 비밀 공간은 이와 같은 긴급 상황에 대비하기 위해 만든 공간이라서, 현재 벙커에 머무르고 있는 사람들은 모두 완전하게 피신할 수 있으며, 그 경도와 내열성도 우수해 폭발을 피할 수 있을 정도는 된다.

도진은 네닉 시스템에 미련이 없다는 듯 그것에서 등을 돌렸지만 몇몇 연구 기술원들은 그렇지 못했다. 지구에서보다는 수월하게 제작했다고는 하지만, 그들의 노력이 쏟아 부어져 있는 결과물을 그냥 폭발시킨다니 아까울 수밖에 없을 것이다.

도진과 디렉터를 제외하고 모두는 비밀 공간 안으로 들어갔다. 그리고 디렉터가 네닉 시스템을 구성하는 하드웨어의 어느 한쪽에 쪼그려 앉아 내부의 어떤 선들을 잠시 만지작거리다가 일어서서는, 도진을 향해 말했다.

"됐습니다."

"갑시다."

도진과 디렉터 역시도 비밀 공간 안으로 숨고는 육중한 문을 굳게 닫았다.

약 1분 후, 네닉 시스템의 구성물 곳곳에서 스파크가 일더니 팅, 툭, 하는 소리가 연속으로 빠르게 나기 시작했다. 그리고 하나의 부품에서 녹색 불꽃이 잠시 이는가 싶더니, 거대한 소리와 함께 폭발했다.

폭발력은 대단했다. 순간 터져 나온 압력으로 벙커의 지상부에

붙어 있던 로봇들이 한꺼번에 떨어져 나갔고, 그로 인해 대부분은 형체가 짓눌리거나 완전하게 파손되어 작동하지 않게 되었다.

하지만, 폭발에 영향을 받은 것은 전체의 단 10% 정도이다. 그 외 로봇들은 굳건히 움직이고, 피해를 당한 로봇들을 수리 또는 재생산하는 것은 그들에게는 아주 간단한 일이다. 도진과 그 일행은 그저 로봇의 관심에서 벗어나 약간의 시간을 번 것에 불과하다.

불길이 어느 정도 잡혀가던 시점에, 도진과 디렉터가 앞장서서 일행을 이끌고 텔레포트로 향했다. 다행히 지하 비밀통로는 텔레포트가 있는 곳의 근처까지도 이어져 있기에, 로봇들의 시선을 피해 그곳까지 무사히 이동할 수 있었다. 그리고 모두는 텔레포트를 통해 다른 곳으로 이동했다.

곧 그들이 도착한 곳은 근석이 사용하던 비행선이다. 비행선의 외부는 군데군데 표면이 녹아있거나 파손의 흔적이 있지만, 내부는 잘 보호되어 있다.

사실, 마을의 로봇들로부터 받은 공격으로 인해 이 비행선은 파괴되고 있었지만, 이곳에 있는 인조인간들이 누가 시키지 않았는데도 실시간으로 재빨리 수리하여 조치한 것이다. 아마도 그들은 근석에게 훈련을 받았거나, 자신들 내부에 입력된 행동 프로그램에 따라 움직였을 것이다.

로봇들로부터 이 비행선이 공격을 받은 직후, 근석이 이곳을 버리고 도망하기 전 마을을 향해 감행한 대공습으로 심한 타격을 입은 로봇들이 재정비 후 이 비행선에 추가 공격을 가하지 않은 것은, 그 이후로 이 비행선에서 움직임과 반응이 없었기 때문이다. 전투 로봇들은 그것을 상대에 대한 공격에 성공했다고 착각을 했고, 상대의 무력화 또는 항복쯤으로 간주했다.

오로지 정해진 프로그램에 따라 행동하고 내부 알고리즘에 의해 판단하는 인공지능 전투 로봇의 한계라고도 볼 수 있다. 즉, 경험에 따른 지식과 행동 양식이 다양하게 축적되지 않은 것이 그들의 한계인 것이다. 물론, 로봇들은 학습이 가능한 형태이므로 그들이 활동을 지속하기만 한다면, 그리고 그들의 적이 존재한다면 언젠가 해결될 문제이기도 하다.

비행선 내부의 인조인간들은 도진의 일행을 적으로 간주하지 않았다. 그렇다고 따르는 것도 아니다. 그저 그들에게 주어진 일만 하는 것이다. 그들의 판단, 행동 모든 것이 단순하다.

그렇게 모두가 근석이 사용하던 비행선으로 무사히 들어왔고, 텔레포트는 차단해 막았다. 그리고 이제 이들이 할 수 있는 일은 그저 시간을 보내는 것이다. 네닉 시스템을 재건하려고 해도 필요한 것은 때를 기다려야 하는 시간이고, 당장은 무언가를 할만한 일도 없으므로 그저 시간을 보내는 일이 전부이다.

창우가 도진에게 물었다.

"이제 어쩔 생각이야?"

"글쎄…."

도진은 닥친 위기에 어떤 식으로든 해법을 내놓았었지만, 그 물음에 답을 하지 않았다. 그리고 다른 연구 기술원들도 앞으로의 일에 대해서 언급하거나 논의하지 않았다. 그저 아무 할 일이 없어진 사람처럼 여유를 부리거나 빈둥대는 등 이전과는 다른 모습을 보이는 중이다.

기회의 땅

그렇게 며칠이 지났다. 창우는 비행선의 벽면에 나 있는 창으로 밖을 가만히 바라보는 중이다.

'수많은 별들이 있네.'

정말이다. 이전까지 그저 검기만 했던 우주 공간은, 로봇들이 비행 선단을 향해 쏜 거대한 포탄들이 어우러져 마치 지구에서의 밤하늘과 같이 보인다.

창우가 지구에서의 밤하늘을 떠올리며 추억에 잠기듯 그러고 있을 때, 도진이 그에게 다가와 말을 건넸다.

"잠시 얘기 좀 할까."

"어? 응. 그래."

둘은 나란히 앉아 창밖을 바라보았다. 그런데 창밖을 바라보던, 별일 없는 듯 편안해 보이던 도진의 표정이 미묘하게 변했다. 아마 갑자기 어떤 생각이 든 것 같다.

할 말이 있는 것처럼 왔던 도진이 아무런 말도 없이 창밖만 가만히 바라보고 있자, 창우가 먼저 말을 꺼냈다.

"할 말이 뭐야?"

그러자 도진은 시선을 여전히 창밖으로 둔 채 말했다.

"우리가 조금 더 어렸을 때 인연이 되어 만났더라면 더 좋았을 뻔했군."

도진의 성격으로는 결코 입 밖으로 나오지 않을 것 같은 말이 그의 입에서 내뱉어지자, 창우는 어색한 느낌이 들어 애써 농담을 건넸다.

"어렸을 때 만났다면 우린 참 많이 싸웠겠지."

그러자 도진이 미소인지 찡그림인지 알 수 없는 옅은 표정을 잠깐 지어 보이며 고개를 한번 끄덕였다.

"뭐, 그랬을 수도 있겠군."

다시 정적이 흘렀고, 이번에는 도진이 작정한 듯 말을 꺼냈다.

"네 아내 말이야."

"응. 예은이."

"이 세계에 들어와 있는 나는, 아무것도 모르는 생소한 나라에 맨몸으로 여행을 온 것만 같은 기분이 들어. 이제 와서 탓해봤자 소용없는 일이지만, 동료들이 나를 배신할 줄도 몰랐으니. 그래서…. 솔직히 말해서, 네 아내를 내가 찾아주거나 돕지는 못할 것 같아. 자연스럽게 그녀를 구할 정확한 방도가 나타나면 물론 적극적으로 나서겠지만, 그게 아니라면, 또다시 누군가의 희생이 있을 테고, 복잡한 길을 가야 하니까 어려워. 네가 내 생각을 이해해줄지 모르겠다."

"이해해. 이런 상황에서 서로 처지가 바뀌었다면, 나였어도 너처럼 그렇게 생각했을 거야."

"그래."

"그 말을 하려 한 거야?"

"그리고…. 어쩌면, 네닉 시스템을 다시 제작하는 것이 어려울지도 몰라."

"아…. 난 네가 네닉 시스템을 폭파한다고 했을 때, 기회를 봐서 다시 만들 수 있으리라 생각했었는데."

"다시 만들 수는 있어. 하지만, 그렇게 하고 싶지 않다는 말을 하는 거야."

"응? 어째서 생각이 바뀐 거야? 도화지처럼 깨끗한 우주에서 너만의 세상을 꾸며보고 싶은 것 아니었어?"

"아니, 그게 애초의 목표는 아니지. 나의 임무이자 목표는 인간의 유전체를 보전하는 거야. 이곳으로 온 건 그 수단에 불과한 것이고. 그 목표도 사실 내 의지는 아니었지만. 어쨌든, 그것 때문에 다른 우주로 왔으니 이왕이면 지구에서는 그러지 못했던 아름다운 세상을 만들어보는 것이 부수적인 목표이자 꿈이 되어버린 것뿐이지."

"그렇다면 네닉 시스템을 포기하지 않는 편이 낫지 않아? 네 목표를 위해서라면 네닉 시스템이 꼭 필요할 것 같은데."

"루크와 슌스케, 그리고 엘라를 겪으며, 그들은 제정신이 아닌 사람들이라고만 생각했었어. 그런데, 문득 이런 생각이 떠오르네. 어쩌면 네닉 시스템을 제작해서는 안 되었던 건가? 어쩌면 이런 상황이 벌어지게 된 것은 당연한 이치일 수 있는데, 나는 왜 그 점을 간과했을까. 인간의 유전체를 보전해봤자 어차피 지구에서처럼 그런 치열한 문명이 반복될 텐데, 나는 이 임무를 받았을 때 왜 그래야 하냐는 의문을 깊게 가지지 못했던 것일까. 어째서 나는 이런 사태가 벌어질지 예상하지 못한 것일까."

"무슨 말인지는 알 것 같아."

"그래서, 네닉 시스템을 다시 만들고 싶지가 않아졌어. 결국 모든 것이 반복될 테니까 말이야. 루크와 슌스케, 그리고 엘라는 그걸 알고 있었던 거야. 계속해서 이어진다는 것을."

창우에게는, 네닉 시스템을 포기하겠다는 도진의 그런 생각이 나쁘게만 작용하는 것은 아니다. 예은을 구출해낼 가능성과 기회가 다른 경우보다는 클 것이기 때문이다.

도진은 창밖의 반짝이는 포탄들을 바라보며 말을 이었다.

"이제는 뭐가 옳고 그른지 잘 모르겠어. 루크와 슌스케, 엘라도 그들만이 알고 있는 옳음을 실천한 것이고, 나는 나대로 옳다고 생각하는 것을 하고 있고, 너는 너대로 옳다고 생각하는 것을 하고 싶을 테고…. 내 생각만 옳다고 여기는 것은 그 자체가 교만인데, 과연 내가 옳다고 믿는 것을 추진하는 게 전체적인 기준에서 옳은 게 맞는 걸까.

그리고 누군가가 나에게 일을 주었다고 해서 그걸 곧이곧대로 추진하는 게 맞는 걸까. 그 누군가는 정말 신뢰할 만한가. 그 신뢰의 절대적 기준은 무엇일까. 그 기준이라는 게 있긴 한 걸까.

인간의 본능과 생각, 그리고 그에 따르는 행동이란 따지고 보면 불안정하고 불완전한 것 같아. 나에게 임무를 준 사람들은 그것을 근본적으로 개선할 방법이 충분히 있음을 알고 있었음에도, 어째서 현 인류의 유전체를 온전히 보전하길 원했을까."

창우는 도진의 의문에 어떻게 대답해야 할지 알 수가 없었다. 그래서 그의 고민을 잠시 덜어주기 위해 화제를 돌렸다.

"그렇다면 여기서 이렇게 지낼 생각이야?"

"당분간은. 하지만, 여긴 위험해. 로봇들의 시선이 우주 공간으로 확장된 이상, 그리고 조근석과 엘라가 그렇게 계속해서 말썽을 부리면, 언젠가는 우리가 이곳에 있다는 것을 들킬 거야. 게다가 네닉 시스템이 폭발하며 로봇들이 입은 그 피해 때문에, 그들은 자신들의 규모를 더 늘리고 있을 거야. 그렇게 프로그램되어 있거든."

"마치 상처를 치유하는 우리의 몸 같군."

그 말에 도진이 창우의 얼굴을 잠시 가만히 바라보더니, 다시 시선을 돌리며 말했다.

"그것을 깨닫다니. 로봇들은 전체가 하나의 유기체야. 우리가 보기엔 개체들이 따로따로 존재하고 나름의 각자 판단에 따라 움직이는 것 같지만, 사실은 한 몸이나 다름없어. 네 말대로 파손된 로봇은 인간의 몸에 입은 상처인 셈이고, 그것을 회복하기 위해 원래대로 수를 늘리는 것이지. 그리고 그 충격이 강했다면 오히려 그 이상으로 자신들의 수를 늘리게 되지. 피부에 난 흉터로 비할 수 있을까. 그들은 스스로 몸을 강하게 만들지는 못하지만 그 수를 늘리는 것은 충분히 가능하거든.

어쨌든 그 모든 과정이 그들에게는 본능이야. 우리가 만들어 주입한 프로그램. 그리고 아마 이전보다 훨씬 더 격한 방법으로 적을 공격하려 들 거야. 이제 우리는 로봇의 근처에도 갈 수 없어. 아마 인간이라는 종족을 최대의 적으로 여겼을 테니까."

"그렇다면, 마을 근교 어딘가에 숨어 지낼 수도 없다는 거네."

"굉장히 위험하지. 만약 기술 로봇들까지 각성한 상태라면, 마을 근처로 가는 것 자체가 이미 그들에게 잡힌 셈이 될 테니까."

"그렇겠지. 어쨌든 무언가 수를 찾아야…."

"우리들의 힘만으로는 로봇들을 이기기 어려울 것 같아. 근석이나 엘라가 숨겨놓은 비책이나 멋진 장소를 알고 있다면 모를까. 그렇다고 해도, 그들과 같은 편이 될 수 없는 지금의 상황에서는 진퇴양난이라고 봐야지. 젠장, 내가 만든 로봇에게 이렇게까지 당하다니."

그 말을 들은 창우는 자신이 저지른 일에 다시 죄책감이 들어 도진을 똑바로 바라볼 수가 없었다. 그런 창우가 도진에게 무언가 말을 하려 할 때, 도진이 먼저 말을 꺼냈다.

"나의 목표, 그 임무를 계속 수행해도 되는 걸까?"

"인간의 유전체를 보전해야 한다는 그것 말이야?"

"그래 그것."

"인간의 행동에 선과 악을 정의하지 않고, 그에 대한 결과도 고려하지 않는다는 전제하에 인류의 번성 자체만 의미하는 거라면,

네닉 시스템을 사용하지 않고서는 그건 이미 실패했다고 봐야 하지 않을까? 로봇들, 근석, 엘라 모두와 상대해야 하는 지금의 이 상황에다가, 사람들도 얼마 남지 않았어. 아주 평화롭게 지낼 수 있다면 기나긴 세월이 다시 인류의 수적인 번성을 가져다주겠지만, 이 전쟁을 평화로 바꿀만한 마땅한 대책이 없다면…. 글쎄….

하지만, 0.1%의 가능성이라도 있다면 해보는 게 맞다고 생각해. 나 역시도 예은을 찾는 것을 포기하지 않을 것이거든. 포기하는 순간이 정말로 실패하는 것이지, 포기하지 않는다면 성공을 위해 가는 과정일 뿐이잖아.

네가 그 가치를 진심으로 어떻게 생각하는지 알 수는 없지만, 그 가치가 조금이나마 긍정적인 쪽으로 향해있다면 끝까지 해보는 것도 좋을 것 같아."

그 말을 들은 도진이 가만히 생각하더니 살짝 미소를 지으며 말했다.

"그래. 그렇구나."

도진과 창우는 말없이 창밖의 무수히 많은 포탄을 가만히 바라보았다. 그리고 창우의 눈에 눈물이 살짝 고였다. 그것이 지구에서의 밤하늘에 별이 연상되어 나타난 향수 때문인지, 아니면 예은을 찾을만한 길이 없어서인지, 또는 이 상황을 타개할 마땅한 묘책이 없다는 것에 분한 마음이 들어서 인지는 그 자신조차도 알 수 없다.

그 후 도진은 며칠 동안, 근석이 남겨둔 인조인간 생산 시설과 그가 남겨놓은 인체 복제와 관련된 자료에 유난히 관심을 가지고 살폈다. 그리고 다른 사람들과 논하는 일 없이 혼자서 무언가를 했는데, 다만 그 옆에는 수시로 디렉터가 함께 했다.

그렇게 그가 어떤 일에 매진하고 있을 때, 주민 중 하나가 도진을 찾아왔다.

"밖에 이상한 것들이 보이는데, 걱정스러워서요."

그 말에 도진은 바로 근처에 있는 창으로 가 밖을 살폈다. 하지만 마을의 지면을 떠나 우주 공간을 가로지르는, 반짝거리는 포탄들 외에는 아무것도 있지 않다.

"저것들은 로봇들이 쏘아 올린 포탄입니다. 우리 쪽으로 오지는 않을 테니 안심하시죠."

"그게 아니라, 바로 가까이 보이는 무언가가 어제부터 보였어요. 조금 전에는 창에 찰싹 달라붙어 있다가 떠나는 것을 봤고요."

그 말에 도진은, 어느 정도 치유가 되어 움직이는 데는 문제가 없는 진성을 시켜 비행선 내외부를 순찰하라고 시켰다. 그리고 잠시 후, 진성이 굳은 표정으로 도진을 찾아왔다.

"형, 로봇들이 보낸 정찰기가 이 주변에 있는 것 같아."

그 말에 도진 역시도 심각해져 물었다.

"얼마나 있는 것 같아?"

"그 수를 알 수가 없어. 움직이는 속도가 무척 빨라. 정확히 확인한 것만 3대인데, 더 있을 수도 있어. 지켜보는 도중에 한 대가 마을이 있는 방향으로 떠난 것으로 봐서는 나머지도 오래 머무르지는 않을 것 같긴 해."

"결국, 이렇게 되어버렸군."

그 말을 듣던 디렉터가 혼잣말을 하듯 말했다. 그것은 이 주제와 전혀 상관없는 뜬금없는 내용이었다.

"창밖에 뭐가 참 많군요."

그 말에 도진과 진성은 창밖으로 시선을 돌렸다. 그곳에는 정말로 뭐가 많긴 하다. 그것은 모두 마을의 로봇들이 쏘아 올린 포탄들이다. 진성은 디렉터가 혼자 쓸데없는 말을 했다고 치부했지만, 도진은 그렇지 않았다. 그는 디렉터가 한 그 말을 창밖의 장면과 함께 곱씹었다.

그리고 잠시 후, 도진이 진성에게 말했다.

"동료들을 모두 불러줘."

도진과 디렉터, 진성과 연구 기술원들이 모두 한자리에 모였다. 창우도 포함되었다. 그리고 도진이 앞으로의 계획을 그들에게 알리기 시작했다.

"저기 창밖을 잠시 봐주세요."

모두는 그가 가리킨 창밖의 장면을 보기 시작했다.

"우린 저기로 갈 겁니다."

모두는 도진이 방금 한 말을 이해하지 못했고, 한 연구원이 물었다.

"저기에 뭐가 있습니까?"

"보이지 않습니까. 우리가 다시 일어설 기회의 땅이."

그 말에 몇몇 연구원들은 그 말의 뜻을 이해했는지, 눈을 동그

랗게 뜨고는 도진을 바라보았다. 그 눈빛에는 '진심으로 하는 말인가'라는 뜻 외에는 아무것도 있지 않아 보였다.

도진이 말을 계속 이었다.

"우리는 저 포탄 중 하나에 정착할 겁니다."

그러자 이제야 곳곳에서 탄식이 새어 나왔다. 아마도 대부분은 말도 안 되는 소리라고 여겼을 것이다. 하지만 도진은 그런 반응에도 꿋꿋하고 당차게 자신의 의견을 전했다.

"저 포탄은 역설적이게도, 지금 이 우주의 그 어느 장소보다 안전한 곳입니다. 방금 여러분의 반응처럼, 설마 저기에 짐을 푸리라고는 누구도 생각하지 못할 테니까요. 저 포탄 중에서 우리가 착륙하여 지낼 수 있는 곳을 찾아볼 겁니다. 그리고 그곳에서 여러 가지 문제들을 풀어볼 생각입니다. 물론 저 혼자서는 안되고 여러분과 함께 말입니다.

저기 저 포탄들은 그 자체가 자원 덩어리입니다. 우리가 에너지로 사용할 수 있고, 적절히 가공한다면 물건을 만들고 식량으로도 쓸 수 있는 자원이죠. 우리가 발을 디딜 수 있는 곳만 찾으면 더 없이 좋은 장소가 되는 것입니다."

도진은 그 어떤 반박이라도 들을 준비가 되어있었다. 하지만 그 누구도 도진의 의견에 반박하지 않았다. 사실, 지금으로서는 이러한 상황을 물리칠 뾰족한 수가 없기에, 도진의 그 생각이 나름 신선하게 다가온 것이다.

"동의합니다."

디렉터가 먼저 그 말에 동의한다는 의견을 냈다. 그러자 몇몇이 우려스럽다는 의견을 냈으나, 일단 도진의 말에 따라 포탄 위에 자리를 잡아 보는 것으로 결론이 났다.

도진의 일행이 타고 있는 비행선은 주변을 서성거리던 로봇의 정찰기들이 물러날 때까지 기다린 후, 그것들이 사라지자 빠르게 기동하여 날아가고 있는 포탄들 사이로 깊이 들어갔다. 그리고 그 중 비행선이 온전히 착륙할 수 있고, 인간들이 발을 디딜 수 있을 만한 하나를 찾기 시작했다.

하지만 그 과정이 수월하지는 않았다. 강한 에너지를 뿜어내고 있어 접근조차 어려운 것도 있고, 접근은 가능했으나 표면이 고르지 않거나 흔들리는 등 불안정해 비행선이 착륙할 만한 상태가 아닌 곳도 있다. 심지어 포탄들은 가속 중이기에 그에 따라 비행선을 제어하며 탐색하기가 쉽지 않다.

그렇게 약 3일 동안 포탄들 사이에서 적절한 하나를 찾던 중, 유난히 발산하는 에너지장이 약해 보이고 형태가 투박한 부 포탄을 하나 발견했다.

"저기로 가보는 게 어떨까요?"

비행선은 그 수많은 포탄들 사이를 요리조리 움직이며 점찍은 그 포탄으로 갔다. 가까이에서 관찰한 그것의 표면은 비교적 부실해 보인다.

"음…. 유난히 작아 보이는군요."

작다고 표현은 했지만 그 크기는, 한 바퀴를 온전히 둘러보는데 비행선의 출력 한계치 70%로 약 1시간이 걸릴 정도이다. 지구에서의 일반적인 여객 항공기에 빗대었을 때는 약 5일 정도가 걸릴 것이다. 그만큼 다른 포탄들의 규모가 대단하다.

"저곳으로 가보죠. 스캔 결과는 어떻습니까?"

"내부에 인화성 물질이 가득하군요. 강도가 높은 물질들로 덮여 있어 쉽게 폭발하지는 않을 것 같습니다. 날아가는 도중에 폭발하지 않도록 꽤 신경을 썼네요. 주 포탄의 진로나 움직임도 안정적이라 부 포탄들과의 궁합도 좋아 보입니다. 내부 물질을 붙잡아 두는 중력장은 형성되어 있지만, 그 세기는 지구에서보다는 약해서 몸이 조금 가벼워질 것 같습니다."

"저기로 정합시다. 이의 있으신가요?"

"없습니다. 저도 좋아 보이는군요."

비행선은 점찍은 그 포탄의 근처로 이동했다. 하지만 그 부 포탄은 주 포탄의 에너지장에 붙잡혀, 그 중심을 기준으로 계속해서 한 방향으로 움직이고 있으므로 착륙하기에 수월하지 않았다. 게다가 포탄이 만들어지고 발사된 지 얼마 지나지 않은 시점이라 그 열기도 대단하여, 착륙한다고 해도 밖으로 나가는 일은 더 쉽지 않을 것이다.

포탄 주변으로 형성된 중력장 안으로 힘겹게 들어간 비행선은, 몇 번의 시도 끝에 일단 표면에 착륙은 성공했다.

"준비된 냉각수 방출 시작하세요."

잠시 후, 비행선 외부에 장착된 사출구들에서는 어떤 액체가 쏟아져 나왔다. 그러자 비행선 주변의 진흙처럼 말랑하던 표면이 점점 굳었고, 나중에는 그 온도도 내려가 발을 디딜 수 있을 정도가 되었다.

그렇게 비행선은 한 포탄 위로 살포시 착륙했다. 도진과 디렉터가 먼저 보호복을 갖추어 입고 밖으로 나섰다. 그리고 강한 조명등을 주변 곳곳에 비추었다. 주 포탄으로부터 방사되는 에너지 요소로 인해 표면 위의 물체를 확인할 정도의 밝기는 존재하지만, 먼 거리를 식별할 정도는 아니다.

그들이 발을 디딘 그 주변에서는, 내부의 인화성 물질과 그 품질을 유지하게 하는 시스템으로 인해 기체들이 외부로 분출되고 있고, 표면은 붉은색과 녹색, 회색이 서로 뒤섞여있어, 만약 지옥을 표현한다면 딱 이런 모습을 연출하면 되겠다고 생각될 정도이다.

"괜찮겠습니까?"

디렉터가 걱정스러운 말투로 묻자 도진이 대답했다.

"사실, 생각보다는 열악하군요. 하지만 달리 방법이 없으니 이곳에 잠시 머물러 보죠. 영원히 이곳에서 살 것은 아니잖아요. 최소한 적들의 눈을 피할 수는 있겠네요. 설마 우리가 포탄 위에서 지내고 있을지 누가 예상이나 하겠습니까. 이 근처로는 정찰도 하지 않을 겁니다."

도진과 그의 동료들은 우선, 인간들이 지낼 수 있도록 적절한 환경을 조성해야 한다. 적정 범위의 표면을 냉각시켜 더 굳게 만들었고, 그 위에는 돔 형태의 구조물과 건물 등을 만들었으며, 그 내부에는 모두가 생존과 활동을 할 수 있도록 필요한 것들을 갖추어 보호복이 없어도 지낼 수 있도록 만들었다.

그리고 다행인 점은, 포탄의 표면 물질이 모두 합성이나 분해 과정을 거쳐 어떤 형태로든 변환시킬 수 있는 만능원료로 만들어져 있다는 것이다. 즉, 적절한 재가공을 거치면 식량도 만들 수 있고, 무기나 구조물, 그리고 원하는 액체와 기체까지도 생성시킬 수 있는 것이다.

그렇게, 인류는 비행 선단을 향해 쏜살같이 달려가고 있는 한 포탄 위에 임시 터전을 마련하고 생활을 시작했다.

진화하도록 창조되다

도진과 그 일행들이 포탄 위에 자리 잡은 지, 지구에서 체감하는 시간 기준으로 약 3개월이 지났다. 다행스럽게도 모두는 무사히 지내는 중이다. 다만, 그저 잘 지낸다고 할 수는 없다.

그동안 아기가 셋이 태어났는데, 지구가 아닌 이 우주에서 태어난 최초의 아이들이다. 흔히 알고 있는 출산 예정일보다 훨씬 빨리 세상에 나왔지만 아이들은 건강한 편이다. 출산이 그렇게 빨라진 이유는, 이 우주에서는 지구에서 대비 인체의 기능 수준이 달라졌기 때문이다. 마을에 있는 메이커와 몸이 멀어져 있는 상태이지만 이미 어느 정도 그 영향을 받은 덕분이다.

이 우주에서 최초의 아이들이 탄생했다는 사실에 모두는 기뻐했지만, 창우는 마냥 그러지 못했다. 물론 그 역시도 겉으로는 기쁨을 표현했지만, 예은에게서 태어났을지 모를 자신의 아이가 계속해서 떠올랐기 때문이다.

포탄 위에서의 생활은 안정적이면서도 한편으로는 불안정하다. 그 내부에 있는 각종 물질이 포탄의 이동과 설계에 따라 어떤 작용을 하며, 수시로 포탄의 표면이 흔들리거나, 내부 물질의 화학 반응으로 생성된 부수적 찌꺼기들이 위로 솟구치는 경우가 잦았다.

그 부수적 찌꺼기란 기체이기도 하고, 액체이기도 하고, 굳은 돌 같은 것이기도 하다. 물론 그 횟수는 처음 정착했을 때보다는 조금씩 줄어들고 있지만, 자칫 생활용 시설물에 손상을 줄뻔한 경우도 종종 있었기에 모두는 그 점을 걱정하고 염려한다. 사람들이 생활 중인 시설물에 약간의 균열만 가도 위험한 상황에 부닥치기 때문이다.

그렇게 불안정 속에서도 안정적으로 지내던 중, 어느 날 디렉터와 진성이 비행선의 텔레포트를 통해 로봇들이 있는 마을을 정찰하고 왔다. 진성과 디렉터는 묵직한 위장막을 온몸에 두르고, 여러 가지 무기를 몸에 지니고 있던 터라 제대로 움직이기도 쉽지 않아 보인다.

아직 부상이 완전히 회복되지 않았지만 처음보다 많이 좋아진 진성이, 지친 표정으로 무거운 위장막을 바닥에 하나둘 벗어 내려놓으며, 여러 연구원과 도진이 있는 곳에서 말을 꺼냈다.

"로봇들은 그 수가 이전보다 훨씬 많아진 것 같고, 차지하고 사용 중인 땅의 크기도 넓어졌어. 내가 알던 그때보다 5배 이상 더 커진 것 같아. 포탄은 아직도 발사되고 있어. 그런데 그것보다, 로봇들이 비행선을 만든 것 같아. 겉모양이 우리가 사용하는 비행선과 비슷한 것으로 봐서는 관찰 후에 모방을 한 것 같고, 아마 인간들을 찾으려는 용도일 듯해."

그의 보고에 도진이 먼저 응했다.

"로봇들이 차지한 땅이 넓어지고, 비행선을 만들어? 땅은 그렇다 치고, 갑자기 로봇들이 비행선을…. 우리의 행방을 모르니 굳이 그런 식으로 비행선까지는 만들지 않을 텐데. 로봇들은 즉시 필요하다고 판단되는 일 외에는 하지 않거든. 그렇다면…. 아마도 근석이나 엘라가 어떤 식으로든 또 그들의 성질을 건드렸나 보군. 그러면 그럴수록 로봇들은 스스로 강해지려 할 거야."

"어쨌든, 지금 우리가 다시 그 땅을 찾을 가능성은 희박해 보였어."

그 말에 도진과 연구원들은 잠시 생각을 이어갔다. 그리고 이내 디렉터가 말했다.

"우리가 다시 로봇을 만드는 게 어떨까요? 로봇에 대응하기 위한 로봇 말입니다."

"나도 그 생각을 안 해본 것은 아닙니다만, 그들에게 맞서려면 성능 수준은 당연히 그보다 높아야 할 테고, 최소 수십만 대는 제작을 해야 승산이 있을 텐데, 이곳이나 비행선 안에서는 여러모로 물리적인 한계가 있어서 안 되잖아요."

"물론 그렇죠. 하지만 저 밖을 보십시오. 수많은 포탄들이 있습니다."

도진은 순간 그의 말을 이해했다.

"저 포탄들 표면에 로봇의 생산 시설을 만들자는 말이군요. 즉, 포탄 하나하나가 로봇 공장이 되는 것이네요."

"맞습니다. 찾아보면 비교적 안정적인 부 포탄들이 많이 있을 겁니다. 물론 시간은 오래 걸리겠지만 이대로 손 놓고 있느니, 그 방법이라도 써보는 게 어떨까요. 게다가 포탄 그룹 하나하나가 에너지와 자원 덩어리 아닙니까."

도진은 그 말을 가만히 곱씹고는 그 말에 덧붙였다.

"하지만, 각 포탄이 자원 덩어리라고 하더라도, 그 특징이 제각각이니 손이 많이 갈 겁니다. 그 특징에 맞게 생산 시설을 꾸미는 것 자체가 하나의 거대한 프로젝트가 될 거예요. 쉽지 않겠군요. 그 규모와 수에 따라 연구와 설계 작업이 들어가야 하니…."

도진이 다시 가만히 생각하기 시작했고, 디렉터는 그의 말을 잠자코 기다리다가 혼잣말을 하듯 짧게 말을 내뱉었다.

"손쓰지 않아도 로봇들이 스스로, 자동으로 만들어지면 참 좋을 텐데…."

그러자 도진이 눈을 조금 크게 뜨며 말했다.

"그겁니다. 우리가 포탄의 특성과 환경을 하나하나 따져서 거기에 맞게 생산 시절과 로봇을 일일이 설계하기보다는, 최소한의 요건을 갖춘 모든 부 포탄에 공통으로 적용할 수 있는 한 가지 방식의 생산 시설을 일괄 구축하고, 로봇들이 그 환경에 맞춰 스스로 만들어지도록 하는 겁니다. 그러면, 기초 로봇의 설계 결과물이 그 환경을 받아들이는 곳에서는, 로봇들이 그 환경에 맞춰 정상적으로 생산될 겁니다."

디렉터는 도진의 그 의견에 만족스러운 표정을 지었다. 그리고 도진 역시도 지금의 이 아이디어에 만족하는 듯 빠르게 말을 이었다.

"일단 기초 로봇에는 완전체의 설계 정보와 그 설계 정보대로 무기물을 흡수 합성하는 기능을 내장하고, 작은 형태로 만드는 겁니다. 거기까지가 우리가 로봇에 대해 할 일이죠. 그리고, 포탄은 그 자체가 만능원료로 가공되어 만들어졌기 때문에, 역으로 그 일부를 분해해서 만능원료와 유사한 형태로 다시 전환해놓습니다.

그 후, 설계도와 생장을 위한 기본 프로그램을 내장하고 있는 덩어리 상태의 기초 로봇이 그 무기물을 내장된 설계도대로 골라 반복적으로 흡수하면서 큰 완전체로 성장하는 겁니다. 그러면서 각 포탄의 환경에 맞는 로봇들만 정상적으로 발달하게 될 겁니다. 그러면 자연스럽게 여러 종류, 그리고 여러 가지 형태와 특징을 가진 로봇들이 생성되겠죠. 그리고, 로봇들이 스스로 파손 부위를 치료하고 손실된 부분을 생성하는 기능을 넣는 겁니다."

도진의 말은 로봇이 진화하도록 창조한다는 의미이다.

"좋은 아이디어입니다. 하지만, 정말 고난도의 작업이 되겠는걸요."

"루크는 생명공학 분야에 재능이 뛰어났어요. 이곳에는 근석이 남기고 간 시설과 자료들이 풍부하니, 그걸 참고하면 어렵지 않을 겁니다. 일단 그렇게만 되면, 우리는 그 일부의 과정에만 손을 쓰고 내버려 두는 거죠. 씨와 물을 밭에 뿌려놓고 햇볕을 비추면, 싹이 나고 식물이 자라는 것처럼요. 그리고 성공적으로 생장하고 발달해 증식한 그 로봇들을 모아, 마을로 일시에 투입시키는 겁니다. 바로 그들이 우리의 군사 로봇이죠."

"탁월한 방법입니다."

"다른 분들의 의견을 들어보고 이의가 없으면 즉시 시작하도록 하죠."

그런 방법보다, 자원 덩어리라고 할 수 있는 포탄에서 필요한 물질을 채취해 폭발물을 만든 후, 마을을 향해 대규모 공습을 하는 상대적으로 간편한 방법도 생각해 볼 수 있었다. 하지만 마을에는 이미 그런 공격 방식에 대한 대비가 충분히 되어있을 것이고, 그것을 뚫기 위해 더 강력한 폭발물을 사용하면 자칫 그곳의 환경이 불안정해져 더는 네닉 시스템을 제작하지 못할 수도 있다. 그러한 우려 때문에, 도진과 그의 동료들로서는 함부로 대규모 폭발물을 마을을 대상으로 사용할 수가 없는 것이다.

전투 로봇의 제작에 연구원들 역시도 모두 동의를 했다. 사실, 그 프로젝트의 진행 자체는 근석이 비행선에 남긴 연구 시설과 자료 덕분에 어렵지 않지만, 적당한 부 포탄을 찾는 것이 우선 과제이다. 각 포탄의 특성에 맞게 로봇을 생성시키자는 것이 프로젝트의 핵심 주제이지만, 그러한 목적으로 이용하기 어려운, 최소한의 기본 환경도 갖춰지지 않은 포탄들이 아주 많으므로 신중히 검토하고 찾아야 한다.

그리고 비행선이 수많은 포탄 사이를 오가다 보면 자칫 위험해질 수도 있다. 하나의 군집을 이루는 포탄 무리의 중심에 있는 주 폭탄이 발산하는 에너지가 무척 강해, 그 근처만 가도 비행선이 크게 손상될 수 있기 때문이다. 게다가 현재 사용 중인 비행선은 지구에서 정밀하게 설계되고 고도화된 기계 장치이기에, 이곳에서 그것을 다시 만든다는 것은 시간이 오래 걸리기도 하거니와 지금으로서는 엄두를 내기 어려운 일이다. 저 멀리 있는 비행 선단에 속한 비행선들이 있긴 하지만, 이미 마을의 로봇이 공격 목표로 설정한 만큼 그것을 건드리기도 위험하다.

하지만 그러기로 한 만큼, 그리고 딱히 도리가 없는 만큼 그 계획은 실행에 옮겨졌다. 도진과 디렉터가 전체적인 일을 이끌고, 동료 연구원 12명이 로봇의 설계를, 그리고 나머지는 로봇이 성장할 환경을 마련할 연구와 제작을 하기로 했다. 그렇게 연구 기술원들은 각자의 역량을 발휘해 일을 시작했다.

그렇게 얼마의 시간이 지난 후, 근석이 남겨놓은 시설과 자료를 토대로 하여 인조인간의 제작기술을 접목한 로봇의 디자인과 설계가 완료되었다. 하지만, 연구용 시험체는 있지만 완전한 프로토타입을 선보이지는 못했다. 각 로봇은 생장하는 환경과 물질에 따라 다른 형태와 기능, 그리고 크기로 최종 생산되기 때문에, 현재 실체로 선보인 형태는 그저 작고 둥근 물질 덩어리일 뿐이다.

로봇의 씨앗이라고 할 수 있는 그것에는 12명의 연구원 각자가 내놓은 12개의 설계도와 그에 따른 생장 프로그램이 탑재되었는데, 그것들에는 연구원 각자의 성격과 성향, 그리고 능력이 녹아들어 있다. 그래서 그것들이 정상적으로 생장해 완성형이 되면, 생산지의 환경과 무관하게 서로 다른 모습과 기능을 보일 수밖에 없을 것이다. 즉, 생장 환경에 따라, 그리고 각 연구원의 성향과 능력에 따라 최종 결과물의 모습이 천차만별이 된다는 것이다.

그 로봇들은, 인조인간 제작기술이 녹아있기에 지구에서의 생명체와 유사한 성장 메커니즘을 가지고 있다. 그렇다고 해서 인간을 비롯한 생명체와 그 구조가 같다고 볼 수는 없다. 그저 그 요소 중 일부를 채용해 접목한 것일 뿐이다. 그리고, 그러한 사실 자체는 도진이 어떤 철학적 의문에 빠져들게 된 계기의 하나로 작용하기도 했다.

로봇들이 생산될 환경을 꾸리는 연구와 기술 부분도 마무리가 되었다. 포탄 구성체를 만능원료와 유사한 물질로 전환하는 특수 제작된 액체를 각 포탄에 골고루 뿌리면, 그것이 포탄의 표면을 녹이고 분해하여 모이며 액체 형태의 자원 풀이 형성되고, 그 안에서 로봇들이 생산되는 것이다.

그리고 12종류의 로봇들은 각각 구분되어 생산되는 것이 아닌, 개별 포탄 하나하나에 통합되어 생산될 예정이다. 즉, 생산지로 지정된 각각의 포탄 안에서 각종 로봇이 함께 만들어지는 것이다. 그렇게 생산이 완료된 로봇들끼리 경쟁을 하여 가장 강한 개체가 남도록 설계를 하고 환경을 꾸렸다. 그렇게 함으로써 가장 강한 종류의 로봇이 자연스럽게 그 수가 늘어나고, 그렇게 늘어난 로봇의 종류가 선정되어 적진으로 투입되는 것이다.

그 역할을 맡길 포탄은 모두 217개가 발견되었다. 이미 알고 있듯 모두가 같은 환경은 아니다. 크기와 형태, 표면 온도, 그룹의 리더 격인 주 포탄과의 거리, 구성물질의 조합, 중력 등 여러 가지의 환경적 요인이 제각각이다.

주 포탄과 부 포탄으로 이루어진 각 포탄 그룹은 그 편대를 유지하기 위해, 특정 에너지장으로 서로가 유기적으로 엮여 복잡한 작용을 하고 있다. 그 서로가 주고받는 영향력과 힘도 제각각이기에, 생산 시설과 로봇이 적절히 감당할 수 있을 정도의 그것을 찾는 과정도 수월하지 않았다.

생산 환경을 담당한 기술원들은 선정된 포탄을 하나씩 찾아다니며 특수 제작된 액체를 뿌렸다. 그 액체는 오래지 않아 포탄의 표면을 녹이며 진득한 물질이 고인 큰 웅덩이를 형성했다. 그것에는 로봇이 스스로 만들어지는데 필요한 모든 물질이 포함되어 있다. 하지만 그 물질 웅덩이가 지표면의 고온으로 인해 빠르게 기화되는 경우도 있었다. 그래서 그 웅덩이의 구성 요소가 가열되어 우주 공간으로 날아가지 않도록 하기 위해, 방어용 에너지 막을 응용하여 포탄 전체에 막을 둘렀다. 그러자 기화된 물질이 응결되어 다시 표면 위로 흘렀다.

그리고 그 물질 웅덩이 안에는 생장 촉진제 역할을 하는 물질도 섞여 있다. 그 물질은 아직은 덩어리 상태인 기초 로봇의 생장에 필요한 물질들을 그것에 들러붙게 해주고, 진행을 촉진해 주는 것이다.

그렇게 로봇들이 포탄 위에서 대량으로 자동 생산되고 품질 관리까지 되는 시스템이 완성되었다. 그것들은 인간들의 대리인 역할을 하는 별도의 관리 로봇들에게 보호받고 관리가 될 것이고, 로봇들은 각 포탄에 있는 가용 자원이 소진되거나 도진이 멈춰 세울 때까지는 계속해서 제작될 예정이다.

개선형 인공지능 로봇의 필요

지구에서도, 이 우주에서도, 인류가 머무르는 포탄에서도, 로봇들이 있는 마을에서도 변함이 없는 것은 흐르는 시간이다. 무언가가 움직인다는 것이 곧 시간이라는 개념으로 대치가 될 수 있기에, 이 우주에서도 모든 것들이 움직이고 활동 중이라는 의미이다.

마을의 로봇에 대응하여 마을을 되찾고, 더 나아가 근석과 엘라의 세력을 물리치며, 최종적으로 인류를 온전히 보전하기 위한 방도의 진행이 큰 무리 없이 진행되어가는 중이다.

도진은 이 일이 진행되어감에 따라 어떤 묘한 감정을 느꼈다. 자신이 알 수 없는 어떤 힘에 의해 거부할 수 없는 일련의 과정을 따라가고 있는 것은 아닐까 하는 생각이 들었다. 오로지 정해진 법칙과 이론에 따라 정확한 결론이 나오는 것을 행하던 그가, 정답이나 완전한 결론이 나오지 않을 철학적인 의문에 수시로 빠져들고 있는 것이다.

어느 정도의 시간이 흘러, 도진과 그의 동료들이 각 생산지에 넣어 둔 기초 로봇 덩어리들이 그 내부에 내장되어있는 설계도대로 무럭무럭 만들어져 완성체가 되었다. 완성체가 된 로봇들은 이미 정해진 프로그램된 대로 움직였다.

양질의 원형 에너지를 무한에 가깝고 쉽게 공급받을 수 있는 마을에 비해, 생산지 로봇들의 활동을 위한 에너지원이라고 해봤자 포탄의 표면을 녹인 물질과 그룹을 이루는 주 포탄에서 가속을 위해 뿜어내는 에너지 부산물이 전부이다. 로봇들은 활동을 위해서 지속적으로 그 에너지를 스스로 흡수해야 한다.

어떤 노력으로 에너지를 흡수한다기보다는, 그저 에너지가 로봇들을 찾아가는 개념이다. 그렇게 로봇이 에너지를 흡수한 후에는 그 성능에 따라, 흡수한 에너지가 소진될 때까지만 정상적으로 활동할 수 있는데, 그것은 마을의 로봇에는 없는 일종의 배터리가 장착된 셈이라 그렇다.

마을의 로봇들은 별도의 장치가 없는 한 에너지원인 메이커의 곁을 멀리 떠날 수 없지만, 포탄 위의 로봇들은 에너지를 축적 후 포탄을 떠날 수 있는 것이다. 그래서 적진으로의 투입이 용이한 편이다.

로봇의 생산지로 선정된 217개의 부 포탄들에는 하나도 빠짐없이 모두 로봇의 생산을 위한 환경이 조성되었고, 기초 로봇 덩어리들이 배치되었다. 하지만 그 중, 172개에서만 로봇들이 정상적으로 생산되기 시작했다. 나머지는 어떤 이유로 포탄 자체의 형태가 심하게 변화 또는 구성물질이 변질되었거나, 또는 도진과 연구 기술원들이 예상치 못한 문제가 발생하여 로봇을 제대로 생산하지 못하게 된 것이다. 하지만 172개 생산지에서는 계획대로, 그리고 설계한 대로 로봇들이 생산되고 있다.

12명의 연구원이 각자 디자인하고 설계한 12종류의 로봇들은 한 생산 시설에서 함께 만들어지고 있으나, 완성체가 되는 데까지 걸리는 기간과 그 과정, 그리고 완성체가 된 이후의 형태는 제각각이다. 그중에서 강한 종류만 남게 되는 만큼, 연구원들은 자신이 설계한 로봇이 가장 강해지길 원했다. 그것은 사명감이기도 했고, 자존심이기도 했으며, 평화에 대한 갈망이 반영된 심리이기도 했고, 게임처럼 여겨지기도 했다.

로봇들은 내부에 이미 저장되어 있는 행동 알고리즘에 따라, 그 기능이 발현되면서부터 다른 종류의 로봇들을 공격하기 시작했다. 물론 공격받은 로봇들은 나름의 방식으로 방어를 했고, 방어에 성공하면 그 역시도 공격을 가했다. 그런 식으로 모든 포탄이 마치 격투시합 무대라도 된 것처럼 각축장이 되어, 강한 종을 찾아내기 위한 계획된 과정에 들어가고 있다.

모든 로봇은 공통적으로, 처음의 설계와 프로그램만으로 대량 생산이 이어지는 것이 아닌, 생산과 선별 과정 중에 실시간으로 하드웨어 성능과 내부 설정값, 그리고 행동 패턴 등이 업그레이드와 업데이트되는 생산 방식이다, 그래서 특정 집합체가 다른 종의 공격을 받아 방어를 해내면, 새롭게 생산될 같은 종에게 그 정보를 전해줘야 한다. 그래야 생산이 되면 될수록 더 강한 군체가 만들어져 경쟁에서 승리할 수 있기 때문이다.

그렇다고 기술진이 일일이 그 작업을 하기에는 작업량이 많고, 시간도 많이 소요되어 현실적으로는 그럴 수가 없다. 그래서 새롭게 생성 제작되는 로봇에게 그러한 정보를 효율적으로 전해주기 위해, 로봇들 스스로가 업그레이드된 설계도와 업데이트된 프로그램이 포함된 기초 정보 덩어리를 만들어 외부로 분출하게 되어있다.

즉, 연구 기술원들이 처음 뿌려놓은 작은 기초 로봇이 에너지와 자원을 흡수하며 형태를 갖추고, 전투 프로그램이 가동되기 시작하면 다른 종과 경쟁을 하게 되고, 경쟁에서 이기면 그 공격과 방어 정보를 담은 물질 덩어리를 스스로 내놓는다. 그러면 설계도를 비롯하여 각종 정보가 담긴 그 물질 덩어리들은, 생장 제작되는데 필요한 자원과 에너지를 흡수해 후발 로봇이 만들어지는 것이다.

그런데 그런 방식에는 한 가지 문제가 있다. 그것은 정보 덩어리를 내놓는 로봇이 어떤 변질된 정보를 내놓았다거나, 또는 어떤 오류가 발생하여, 그 정보를 토대로 생산되기 시작한 새로운 후발 로봇이 원래 목적과는 다른 형태가 될 수도 있다는 것이다.

그래서 연구원들은 로봇이 쌍으로 서로가 가진 정보를 비교 분석하여 정보 덩어리를 만들어내는 방법을 썼다. 만약 한쪽에서 잘못된 정보나 오류를 가지고 있더라도, 나머지 한쪽이 그 점을 판단해낸다면 이어 생산되는 새로운 후발 로봇에는 문제가 없기 때문이다. 그리고 서로가 가지고 있는 정보 중에서 가장 정확하고 유용한 정보만 자체 선별하여 후발 생산품에 전해줄 수 있다는 장점도 있다.

그렇게 도진과 그의 동료들로부터 창조된 로봇은, 최강자가 되어 마을의 로봇과 결투를 벌이기 위해 스스로 업그레이드를 하고 있다.

그렇게, 인간들이 만든 인공지능 로봇들을 제압하기 위한, 또 다른 로봇들이 인간들로 인해 꾸준히 생산되고 있을 때, 언제나 처음에는 그렇듯 이번에도 그 계획이 순조롭게 진행되고 있는 것처럼 보였다.

생산지인 각 부 포탄에는 그 규모와 필요에 따라 연구 기술원들을 대신하는 여러 관리 로봇들이 투입되어 있는데, 관리 로봇들이 하는 일은 로봇 생산 현황을 파악하고 생산 과정에서의 특이점이 발생 시 즉시 연구 기술진에게 알리는 것이다. 그래서 생산 현황은 수시로 도진을 비롯한 각 연구 기술원들에게 보고되었다.

그러던 중, 관리 로봇들로부터 특이한 현황 보고가 들어왔다. 생산 시설로 쓰이고 있는 한 부 포탄을 이끄는 주 포탄이, 어떤 문제가 생겼는지 내부의 에너지 농축 물질을 쏟아내려는 움직임을 잠시 보였는데, 그 안에 있던 고농도의 물질이 분출되지 못하고 어떤 이유로 인해 다른 물질로 전환되어 버린 것이다. 그래서 그 주 포탄의 형태와 색이 갑자기 변했다.

그런데, 그 변화한 주 포탄이 주변의 모든 물질을 집어삼키고 있다는 내용이었다. 같은 그룹의 부 포탄들은 당연하고, 멀쩡히 전진하던 주변의 다른 포탄 그룹들까지 자신 쪽으로 끌어당겨 분해를 시킨다는 것이다. 심지어 공간 물질까지 없애버려 그 주변의 일정 영역에는 공간이라는 개념이 사라진 상태가 되었다. 그 때문에 잘 유지되고 있던 생산 시설 172개가 135개로 줄어들었다.

그 사실은 포탄을 쏘아 올린 마을의 로봇에게도 중요한 사건이 될 테지만, 그 사실을 그들이 안다고 해봤자 아무런 뉴스거리도 되지 않을 것이다. 그들은 무수히 많은 포탄을 현재도 쏟아붓고 있기에, 그 정도는 마트에 진열된 수많은 맥주 상품 중 하나가 깨어진 것에 불과하다. 하지만, 도진의 세력에게는 그렇지 않다. 무려 20% 정도의 생산 시설을 잃었으니, 초반의 계획이 틀어지는 부담을 겪을 수밖에 없다.

"지금 시점에서 투입을 해보는 게 어떨까요?"

도진이 디렉터와 다른 동료들에게 생산된 로봇들을 적진으로 투입하는 것에 대해 말을 꺼냈다. 그러자 의견이 분분했는데, 결론은 그렇게 하자는 것으로 났다.

먼저, 135개의 생산 시설에서 각각, 가장 강하게 생성된 로봇의 종류를 모으기 시작했다. 그리고 기습 투입 작전을 위해 대형 수송선도 5대가 제작되었다.

수송선의 형태와 기능은 단순한데, 단지 무언가를 실어 나른다는 목적에 따라 성능도 그에 맞춰졌기 때문에 그것을 제작하는 데에 큰 무리는 없었다.

그렇게 모인 로봇들은 그 의도에 맞게 모두가 강렬해 보인다. 그리고 그 수는 약 100만 정도가 된다. 마을 로봇들의 정확한 수는 확인되지 않았지만 대략 50만 정도로 추정하고 있었으므로, 수적으로는 해볼 만하다는 계산이다.

하지만, 만약 마을의 로봇을 완전하게 제압하는 데 실패한다면, 그 로봇들은 자신들의 수를 더 늘려나갈 것이다. 그리고 만약 어떤 예상치 못한 일이 발생한다면, 도진의 세력이 머무르는 은거지 위치가 발각될 우려가 있다는 점도 문제이다.

수송선은 그 움직임이 상대적으로 느리지만, 일시적 공간 수축 기술을 써서 마치 텔레포트를 사용한 것처럼 목적지 인근까지 보낼 수 있다. 그래서 실수만 하지 않는다면, 적에게 은거지가 발각될 걱정은 하지 않아도 된다. 하지만 인간이 진행하는 일에는 언제나 변수와 실수는 있기 마련이므로 완전하게 안전하다고 장담할 수는 없다.

이런저런 염려와 우려에도, 결정된 대로 진행이 되었다. 수송선 5대는 전투 로봇 100만대를 나누어 싣고 마을로 진격했다. 그리고 일시적으로 수축된 우주 공간을 지나, 오래지 않아 마을에 도착해 로봇들을 지면으로 쏟아냈다.

로봇들끼리 격렬한 전투가 벌어졌다. 처음에는 도진의 로봇들이 압도적으로 우세했다. 기습이었기에 당연했다. 하지만, 일이 진행될수록 그 우세가 꺾이고, 어느 쪽이 승리하게 될지 알 수가 없는 상황으로 치닫고 있다. 이 점은 도진에게 굉장히 불리하다. 마을의 로봇을 단 한대도 남기면 안 되기 때문이다. 단 한대라도 남으면 그 한대가 다시 수십, 수백만의 동료 로봇을 빠르게 생산할 수 있다.

도진의 새로운 전투 로봇들은 생산 단계부터 다른 종과의 경쟁에서 이겨 선별된 정예답게 강했다. 하지만, 단합력과 즉흥적인 전술, 전략을 짜고 그에 따라 움직이는 부분이 부족했다. 무작정 적에게 근거리로 접근해 타격을 입히기에 바빴다. 하지만 적들은 행동 패턴이 단순하지 않았다. 적에게는 기술 로봇이라는 지능 우세형 로봇들이 있는데, 그것이 그들 전투 로봇의 부족한 부분을 채워주고 있던 것이다.

결국, 도진의 로봇들은 모두 마을의 로봇들에게 소탕당했다. 마을 로봇들의 추적을 막기 위해, 수송선 역시도 회수하지 못한 채 파괴되었다. 완벽한 패배이다. 하지만 그나마 다행인 것은, 적과 그곳에 있는 시설물들도 피해가 막심하여 그 회복까지는 시간이 걸릴 것이고, 아마 그 상태로는 도진의 은거지와 로봇의 생산지를 당장 찾아내지는 못할 것이라는 점이다.

도진과 연구원들은 자신들이 맡은 로봇들을 재정비하고 개선과 보완 작업에 착수했다. 그리고 다시 로봇들이 생산되기 시작했다.

첫 번째로 투입한 전투 부대는 힘과 크기는 좋았으나 연산력과 판단, 행동 알고리즘 등, 즉 인공지능 수준이 부족했다. 그래서 해당 종류에 대해 지능 수준을 향상시키는 작업을 하려 했으나, 그러지 못했다. 인간이 로봇에게 당한 방식을 다시 따를 수 없기 때문이다. 현재의 이 사태를 만든 것처럼, 로봇들이 너무 우수한 지능 수준을 가지게 되면 되레 자신을 만든 인간들을 공격할 수 있다.

그리고 그 이유가 한 가지 더 있었다. 에너지의 가용 한계라는 조건이 존재했기에, 무작정 지능을 높일 수도 없는 것이다. 즉, 힘도 좋고, 크고, 지능 수준도 높고, 튼튼하고 단단한, 모든 좋은 조건을 만족하는 로봇이 탄생하는 것은 불가능하다.

마을의 로봇들처럼 언제나 순도 높은 에너지를 공급받을 수 있고 양질의 자원이 풍부하다면 모를까, 일정량의 에너지를 몸체에 축적하여 적진으로 들어가야 하는 특성상 모든 능력을 다 끌어올릴 수는 없다. 에너지 소모 수준을 고려해 각각의 능력은, 그 총합을 기준으로 적절하게 균형이 맞춰져야 하는 것이다.

하지만 로봇의 지능 수준을 높이지 못한다면, 적보다 특별히 낫지 않은 이 환경에서 만드는 로봇으로 백번 공격해 봤자 그들을 완벽하게 이길 수 없을 것이다. 그래서, 이번에는 로봇의 힘과 크기를 줄이고, 연산력과 행동 알고리즘이 더 높은 수준으로 작동하도록 개선하여 균형을 맞춘 로봇의 생산을 계획했다.

그 후, 모든 생산 시설을 청소하고 초기화하여, 다시 개선된 로봇 생산을 이전의 방식대로 시작했다. 모두는 그렇게 개선을 한 로봇들을 다시 적진에 투입한다면 승리를 할 수 있으리라는 기대를 가졌다. 긍정적인 생각도 승리를 위한 하나의 방법이다.

적과의 두 번째 전투에 투입될 로봇이 선정되었다. 그리고 이번에도 수송선을 사용해 마을로 투입했다. 그 수는 첫 전투 때의 약

3배에 가깝다. 하지만, 실패했다. 이번에는 거의 승리가 될 뻔했으나, 전투의 후반으로 들어간 시점에서 적의 교묘한 함정에 빠져 아군이 완전히 파괴된 것이다. 이번에 투입된 로봇의 인공지능 지능 수준은 첫 번째보다는 높았지만, 여러모로 마을의 로봇들을 상대하기에는 부족했음이 틀림없다.

그리고 곧 세 번째 전투 부대의 준비에 들어갔다, 이번에는 신중해야 했다. 마을의 상황을 적들 몰래 살펴본 담당 기술원 하나가, 모두가 모인 자리에서 의견을 말했다.

"적 로봇들 수가 첫 번째 전투 때 보다 훨씬 더 빠르게 늘고 있습니다. 그리고 마을에서 수색 목적인 듯 보이는 이상한 형태의 비행체가 조금 전 출격하여, 이제는 조심해서 움직여야 할 것 같습니다."

"이 방법이 통하지 않는 건가…."

"마을에서 수색선을 보냈다고 하더라도, 공간 수축 기술이 없다면 우리를 찾아내지는 못할 겁니다. 다만, 우리가 생각지도 못할 방법을 그들이 찾아낸다면 상황이 달라지겠지만."

그리고 한동안 도진을 비롯한 연구 기술원들은 적절한 방법을 강구하느라 누구도 말을 내뱉지 않았다. 만약 이번에도 실패하고, 그럴 가능성은 적지만 적에게 은거지를 들켜 되레 기습을 받는다면 인류의 멸망이 정말로 코앞에 다가오는 것이다.

굳이 인류의 생존과 번영, 유지를 위한 희망을 찾자면 근석과 엘라가 있지만, 루크의 지식을 일부 물려받은 근석은 과학적 지식은 깊고 풍부하지만 지혜와 인내가 부족하고, 엘라는 인류를 없애는 것이 목적이니 그들에게 희망을 걸 수는 없다.

한동안의 적막을 깨고 도진이 모두의 앞에서 말했다.

"이 상태로는 안 되겠습니다. 지능 우세형 로봇을 만들죠."

그가 오랜 고심 후 내놓은 대책이란, 모두가 알고 있으면서도 단순한 것이다. 한정된 가용 에너지를 연산 능력과 행동 알고리즘 생성 부분에 몰아넣자는 말이다.

"캡틴, 그렇게 되면, 지금 벌어진 이 사태처럼 주인을 무는 개가 탄생할 수도 있지 않겠습니까."

"그에 대해 대비를 하면 될 것입니다. 일단 테스트를 해봅시다. 어차피 몸체의 수준은 낮추어야 하니, 지금 종류들보다는 강도를 낮추고 작게 만들어지도록 설계하고, 그 점을 완전히 보완할 수 있도록 연산력과 판단, 행동, 학습 알고리즘 수준을 높임과 함께, 스스로 공격 도구를 만들 수 있는 기술을 주입하도록 하죠. 5번(연구원)이 담당하는 로봇을 상대로 진행해주시고, 27번과 33번이 지원해주세요."

5번 연구원이 그 말에 응했다.

"그럼 일단 테스트만 진행해 보겠습니다. 인공지능 수준은 IR2호 대비 70퍼센트 정도로만 설정해보겠습니다."

IR2호란 마을에 있는 지능 우세형 로봇인 기술 로봇을 의미한다. 또다시 인간을 위협하는 로봇이 탄생하지 않도록 적절히 조절하자는 말이었다.

그 임무를 맡은 연구 기술원 셋은 10개의 생산 시설을 임의로

정하고, 시험용 알파 타입 설계 작업에 착수했다. 그리고 새로운 종을 만들어냈는데, 그들은 이전의 로봇들에 비해 몸체 자체는 연약하게 만들어졌다. 테스트 결과, 그들의 맨몸으로는 현재까지 생산된 다른 종류의 로봇들에게 쉽게 당하고 마는 것이다. 당연한 결과였다.

그래서 담당 연구원은 해당 로봇의 완성체가 되는 속도를 빠르게, 그리고 몸을 섬세하게 움직일 수 있도록 개선하고, 다른 종에 비해 높은 수준의 학습 알고리즘을 갖추어 완성체가 된 그들에게 공격 도구를 만드는 방법과 사용법을 간접적으로 주입해야 했다.

로봇들이 스스로 상황을 파악하여 전략을 짜고 그에 따른 공격과 방어를 해야 한다는 처음의 기획에 따라, 미리 프로그램하는 것이 아닌, 그것을 깨우치도록 하는 반강제적인 방법을 써야 한다.

그 과정에서 그들이, 자신들을 탄생시킨 '제작자'라거나, 또는 '주인'이라는 실체를 알면 서로가 좋을 것이 없으므로, 그들과 비슷한 형태를 한 리딩 로봇을 별도로 제작하여 그것이 목표 로봇들에게 여러 가지를 학습시키도록 한 후 회수했다.

그리고 2차 테스트가 진행되었는데, 그러는 동안 생산 시설을 관리하는 관리 로봇들이 상황을 수시로 살폈다. 하지만, 테스트 중인 로봇들은 민감도가 이전의 것들보다는 높아서, 독특한 형태로 생긴 관리 로봇을 지나치게 경계하거나 위축되어 일시적으로 움직이지 못하는 등의 부작용을 보였다.

해당 시험용 로봇은 정말 능력의 균형을 맞추기 어려운 타입이다. 하지만 힘과 크기, 그리고 단순한 행동 패턴만으로는 마을의 로봇들을 감당할 수 없다는 것을 알고 있는 도진과 연구 기술원들은 새로운 형태의 로봇에 기대를 걸 수밖에 없다.

그렇게 원래의 계획과는 조금은 다르게, 약간의 편법과 함께 집중적으로 관리되어 시험 중인 그 한 종의 로봇은, 다른 로봇들과는 다르게 주변의 지형지물과 공격용 도구를 스스로 만들어 사용할 줄 알게 되었다. 그리고 그들은 상대적으로 약한 몸체를 가졌음에도, 높은 인공지능 수준과 유연한 몸체, 그리고 도구를 사용해 자신들보다 더 크고 강한 다른 종의 로봇들을 무찌르며, 그리고 이어 생산될 후발 로봇들에게 전투 정보를 전해주며 정예로 선택될 가능성을 높여 나가는 중이다.

그런데, 생산 과정에서 문제가 생겼다. 정예로 선택되기 위한 프로그램에 따라 다른 종류의 로봇들과만 경쟁하는 것이 아닌, 같은 종끼리도 경쟁하는 과한 행동을 보이는 것이다.

처음에는 그렇지 않았으나, 어느 하나의 선발 로봇이 자신들의 정보를 후발 생산될 로봇으로 넘겨주는 과정에서 오류로 추정되는 문제가 발생하여, 단순 공격성이 한계치 이상으로 강한 로봇이 탄생했는데, 그 때문에 동종의 다른 로봇들도 그에 대항하기 위해 같은 종으로부터도 방어와 공격을 하는 정보를 직속 후발 개체로 내려보내는 것이다.

그러한 오류를 막는 메커니즘은 이미 적용되어 있다. 하지만 그렇게 된 이유는 아마도, 로봇의 생산성이 유지되는 조건은 한정되어 있는데, 그에 비해 너무 복잡한 연산 과정과 프로그램이 입력되고 생성된 것이 원인으로 보인다. 과도한 것이 부족함만 못하게 되어버린 것이다.

그들의 생산은 계속해서 도진의 세력이 원치 않는 방향으로 진행되고 있다. 그리고 이 사실은 비서 역할 중인 관리 로봇들로부터 계속해서 보고되고 있다.

생산 시설을 관리하는 로봇들은 도진이 머무는 곳까지 먼 거리를 날아와 보고용 데이터를 전달해야 했다. 원거리에서 정보를 송신하도록 하는 단순하고도 당연한 방식을 써야 하나, 주 포탄들에서 내뿜는 에너지장이 너무도 강해 공중을 떠다녀야 하는 신호의 왜곡률이 매우 높다. 생산 시설과 관련한 사항은 아주 작은 수치까지도 정확하게 연구 기술진에게 전달되어야 하므로, 관리 로봇이 직접 전달하는 구식 방법을 사용하는 것이다.

해당 로봇의 문제점을 전달받은 도진과 디렉터, 그리고 일부 연구원들은 그 상황을 심각하게 받아들이지는 않았다, 정식 생산이 아닌 테스트 목적으로 진행한 것이라 그럴 것이다. 그러나 목표하고 원했던 결과가 아니기에, 일단 무언가 대책을 마련하거나 결론을 내야 한다.

담당 연구원이 먼저 그에 대해 의견을 꺼냈다.

"테스트 결과, 실패입니다. 지금 생산 중인 해당 로봇들은 모두 폐기처리 하겠습니다."

그러자 도진이 가만히 생각하더니, 말을 하기 위해 입을 움찔거렸다. 그런데, 그보다 디렉터가 먼저 빠르게 말을 꺼냈다.

"폐기처리라…. 그렇게까지 할 것 있겠습니까? 혹시 나중에 필요할 수도 있으니 해당 종만 따로 모아서 관리를 해두죠."

"그렇게 되면, 어차피 자기들끼리 끊임없이 전투를 해서 스스로 멸망하거나, 결국 쓸모없는 변종들만 생산될 텐데. 군이 자원을 낭비할 필요는 없지 않을까요?"

"공격성이 너무 강하긴 하죠. 현재 그 종은 동종끼리 서로 협동도 하지 않지요?"

같은 종류의 로봇끼리 적으로 여기게 된 상태에서는 협동이라는 개념이 끼어들 틈은 없다. 그들 대다수는 그저 각개 전투를 할 뿐이다.

"아직 20퍼센트 정도는 원래 의도한 대로 행동하고 있습니다. 하지만, 조만간 그들도 공격성이 너무 우세하게 되어버린 변종들에게 당하거나, 결국 똑같이 변종이 될 것으로 보입니다."

그 말에 이번에는 도진이 응했다.

"그렇다면, 마지막으로 남은 하나, 그 하나를 발굴해보죠. 얼마나 지독한 놈이 남게 될지 궁금하군요. 그렇게 남은 로봇의 내부에 저장된 전투 정보와 행동 패턴을 분석해서, 새로운 종으로 개선하는 데 활용해보면 어떨까 싶네요."

"결국, 지금 이 테스트를 계속해서 이어가자는 말이군요."

"맞습니다. 프로젝트에 실패했다고 단정 지을 것이 아니라, 그 과정에서 무언가를 얻어보자는 겁니다."

"무슨 말인지 알겠습니다. 일단 그렇게 해보죠."

그리고 디렉터가 다시 말을 이었다.

"지금까지 지능 우세형 로봇들을 제작하고 그 과정을 지켜보니,

이 상태까지 치닫게 된 그 원인은 한 가지로 귀결되는군요. 우리가 그들을 완전하게 통제하지 못했다는 겁니다. 우리 인간보다 훨씬 더 계산과 학습이 빠르고, 힘까지 강하면서, 예민하게 반응하여 공격하도록 프로그램한 녀석들을 목줄도 채우지 않은 채로 동네방네 떠돌 수 있도록 한 셈이니, 지금 우리가 이 꼴이 된 건 당연한 결과입니다. 너무 안일했습니다."

모두가 알고 있는 내용이었지만, 평소 신중하며 허튼소리는 하지 않는 디렉터가 굳이 그런 말을 내놓은 것은 분명 뒤따르는 어떤 아이디어가 있으리라 생각하고, 모두는 잠자코 그의 말에 귀를 기울였다.

"지능 우세형 로봇, 학습형 로봇, 전투 정보를 후발 생산품에 이어준다는 콘셉트, 다 좋습니다. 그런데, 우리가 분명히 해야 할 것 한 가지가 아직도 빠져있습니다. 통제. 우리는 그들을 완벽하게 통제할 수 있는 장치를 마련해야 합니다. 이런 어설픈 식으로는 안 됩니다."

그러자 한 연구원이 그 말을 받았다.

"하지만, 우리가 일일이 그들을 관찰하고 제어할 수는 없습니다. 물리적인 한계가 있잖아요. 그래서 지금의 방식을 적용한 것 아니겠습니까. 혹시 우리 인간을 다시 공격할 수 있다는 우려 때문이라면, 인간에게는 공격하지 않도록 강제적으로 프로그램을,"

"아니, 아니. 그런 의미가 아닙니다. 애초에 근본적으로 잘못된 부분이 있어요. 적을 식별하는 알고리즘을 보완하자는 게 아니라, 우리 인간을 공격하지 못하게 하는 게 아니라, 통제, 생산 과정부터 전투에 투입되기까지 완전한 통제를 해야 한다는 겁니다. 방금 5번(연구원)이 말한 그 방식은 완전하지 않습니다. 유동적 학습 능력을 부여한 이상, 그들은 언젠가 스스로 자신들에게 삽입된 가변성 알고리즘들을 유리한 방향으로 바꿔버릴 겁니다. 완벽하지 않은 우리가 만든 제작품이 완벽할 수는 없다는 것이 그 근거이고 이치입니다."

디렉터가 잠시 말을 멈추자, 도진이 끼어들었다.

"확실한 통제, 합시다. 일리가 있습니다. 그와 관련하여 좋은 생각 있는 분 말해주세요."

디렉터가 입을 씰룩거렸으나, 그저 다른 사람이 의견을 내뱉길 기다리는 듯 그 상태로 머물렀다. 그리고 4명의 연구원이 자신의 의견을 피력했으나, 크게 와닿지 않거나 구시대적인 발상일 뿐이었다.

그러자 도진이 디렉터에게 바통을 넘겼다. 도진이 굳이 디렉터의 말을 끊은 것은 디렉터가 곧 내놓을 아이디어의 가치를 높여주기 위한 배려이자, 한쪽으로 치우치지 않는 다양한 의견을 수렴하기 위한 수였다. 디렉터도 그 점을 알아채고 있었다.

"디렉터, 계속해주세요."

"제 생각에는, 하나의 중앙통제 시스템으로 모든 로봇의 움직임과 프로그램 작동 상태를 관찰하고, 실시간으로 로봇들의 문제점을 보완하도록 검토하는 게 어떨까 합니다.

지금 생산 중인 로봇들의 행동을 예상할만한 장치가 되어있지 않은 데다가 그 수가 너무 많고, 생산 시설과 이 기지와의 거리도 벌어져 있으니, 각 개체의 상태를 빠르고 세심하게 관리하기가 어렵습니다. 관리 로봇만으로 해결될만한 사항이 아닌 것 같습니다. 그래서, 원격으로 그들의 행동 패턴과 상태를 관찰하고, 예측하고, 개선할 수 있는 통합제어 시스템을 구축하자는 의견입니다."

"음…. 그러니까, 로봇들이 스스로 제작되고, 자율적으로 판단하고 행동할 수 있도록 현 상태를 유지하되, 그 일거수일투족을 우리가 실시간으로 관찰하고 예측해서, 언젠가 발생할 수 있는 문제를 확인하는 즉시 해결하자, 뭐 그런 거군요."

"그렇죠."

"그렇다면…. 원격 통신을 하기 위해서는 로봇에 신호 송수신 장치를 장착해야 하는데, 그렇게 되면 로봇들의 에너지 소모량이 더 커지게 되고, 알다시피 각 생산지 주변으로는 강한 에너지장이 펼쳐져 있습니다. 그 상태에서 신호 송수신이 될 수 있으려면 출력이 높아야 하므로, 로봇에 장착된 에너지 저장부 용량도 키워야 하고 그 수준도 훨씬 더 높여야 하는데, 그렇게 되면 효율이 너무 떨어지는 데다가 원래의 계획과는 맞지 않습니다. 그걸 모르고 한 말은 아닐 것 같은데."

"그 점은 쉽게 해결이 가능할 것 같습니다. 부 포탄, 즉 생산지 주변에 신호 송수신용으로 모든 방향을 커버하는 통신 중계기를 설치하여, 들어오고 나가는 신호를 증폭하여 처리하도록 하면 됩니다. 그러면서, 주 포탄에서 방출하는 에너지장을 피할 것이 아니라, 이용하면 될 것입니다.

주 포탄에서 방출하는 에너지 성분에서 특정 입자를 추출함과 동시에, 중계기가 그것을 송신할 데이터에 적합하게 더하고 변조해서 멀리 튕겨내는 거죠. 그러면 우리가 그것을 받아 복조하면 됩니다. 반대의 경우도 마찬가지죠. 주 포탄에서 방출하는 에너지는 강하기 때문에 그 신호는 먼 거리라도 문제없이 들어올 겁니다.

게다가 일부 로봇들은 관리 로봇으로 인해 행동 알고리즘 생성에 가끔 문제가 생기기도 하니, 평소에는 관리 로봇들이 그 통신 중계기에 몸을 숨기도록 하면 그 문제도 해결이 될 것 같습니다. 아, 물론 그런 방식을 적용한다면 관리 로봇들의 역할은 바뀌어야 하겠군요.“

장내가 잠시 고요해졌다. 그것은 지금 나온 이 의견에 모두가 동의하거나 별다른 반박 의견이 없다는 의미이고, 도진은 최종 결정을 위해 고민 중이라는 의미이다.

”그렇게 해보죠. 이번에는 디렉터가 맡아서 진행을 해주세요.“

”알겠습니다.“

그런데, 한 연구원의 표정이 유난히 굳어 있었다. 그것은 아마도 이 결정 또는 어느 시점부터의 결정사항에 불만이 있다는 의미일 것이다.

도진과 연구 기술원들은 동료 관계이기에 어떤 의견이든 스스럼없이 내놓을 수 있다. 하지만, 다른 의견이 있다고 해서 항상 받아들여지는 것은 아니었고, 인간 군집 사회의 특성상 그 사항만 딱 잘라서 별도로 수용될 수는 없기에, 의견은 그저 의견에서 끝나는 경우가 잦았다.

테스트용으로 생산 중이던 그 논란의 로봇들은 일단, 모두 각 생산지로부터 수거되어 다른 한 생산지로 옮겨졌다. 그리고 그 한 종만 그곳에서 생산이 지속될 예정이다.

그들의 최종 행동 알고리즘과 기본 프로그램 자체는 전혀 바뀐 것이 없으므로, 다른 생산 시설로 옮겨진 로봇들은 이전에 자신들이 하던 대로 판단을 하고 움직이기 시작했다. 그것은 곧 치열한 경쟁이다. 도진의 세력과 마을의 인공지능 로봇, 그리고 근석과의 전투 속에서, 또 다른 치열한 전투가 이 안에서 이루어지고 있는 것이다.

그리고 그와 별개로 신형 개선 로봇의 설계가 마무리되어 생산에 들어갔다. 형태나 내부 프로그램 등은 이전과 크게 달라진 것이 없으나 이번에는 안정성을 높였고, 회의에서 결정된 대로 신호 송수신 장치가 장착되었다. 신호 송수신 장치는 로봇의 내부에서 몸체와 함께 물질 합성으로 생성되게끔 되어있으므로, 겉으로는 이전의 형태와 다를 것은 없다.

그리고 송수신 장치는 로봇이 완성체로 성장해야 유효하므로, 당장은 통신 신호 중계기와 로봇의 활동 관찰, 통제를 위한 중앙통제 시스템을 마련할 필요는 없기에 일단은 그것의 제작은 잠시 미루어둔 상태이다.

독특한 로봇 발현

도진이 창밖의 수많은 포탄을 보며 생각에 잠겨 있다. 언젠가부터 그것이 도진의 버릇이 되어버렸다. 그리고 창우도 마찬가지이다. 창밖의 수많은 포탄은, 창우에게는 지구에서의 추억을 되새겨주는 긍정적인 요소가 되고, 도진에게는 지금 하고 있는 일에 대한 어떤 회의감을 일으키는 부정적인 요소이다.

그리고 도진이 부정적인 감정을 불러일으키는 그 경관을 굳이 보고 있는 이유는, 자신이 앞으로 할 일에 대한 희미해진 정당성을 뚜렷하게 만들기 위함이다.

그렇게 습관처럼 창밖을 멍하게 바라보고 있던 도진의 옆으로 창우가 다가와 앉았다. 그러고는 그 역시도 말없이 창밖으로 시선만 가만히 두었다.

그러길 잠시 후, 대체로 창우가 먼저 도진에게 말을 건넸었기에, 이번에도 그랬다.

"언젠가 마을을 되찾을 수 있겠지?"

창우의 그 말은 '어서 마을을 되찾아야, 예은을 이 상황에서보다는 수월히 찾을 수 있을 텐데.'쯤으로 바꿔볼 수 있다. 모든 이들이 마을을 되찾을 방법에 몰두하고 있을 때, 창우의 집중과 관심은 80% 정도가 예은을 찾는 데 있었다.

도진은 시큰둥하게 그 말을 받았다.

"언젠가? 일이 진행되는 기간이 길어질수록 그 가능성은 반비례하여 작아지니, '언젠가'라는 모호한 어휘를 그것에 대입하려니 모순적이군."

도진은 언제나 빈말이라거나 농담으로 말을 건네는 경우가 없었다. 그저, 그렇다고 받아쳐도 될 말인데도 그랬다. 그러고는 도진이 말을 이었다.

"마을을 되찾지 말고, 그냥 이 상태로 머무를까 싶기도 하네."

농담을 할 줄 모르는 그의 말이니, 이 말도 진심일 것이다. 따지고 보면 현재로도 인간의 유전체를 보전하는 임무는 충분히 진행할 수 있다. 상황이 이렇게 되자, 낙원이라거나 유토피아라거나 하는 것에도 욕심을 버렸다.

다만, 우주와 그 근본 원리의 실체에 대한 그의 과학적 호기심이 채워지려면 아직 갈 길은 멀지만, 꼭 그것을 풀어야 한다는 생각까지 가지지는 않았으므로, 마을을 꼭 되찾아야 한다는 명분 역시도 그다지 뚜렷하지 않다.

누군가가 건드려 놓은 메이커로 인해 기후가 변해버린 마을, 그 마을을 지배하고 있는 높은 수준의 인공지능 로봇들, 텔레포트를 타고 다니며 시시때때로 훼방을 놓는 근석과 엘라, 재건해야 하는 네닉 시스템 2호, 그 모든 것을 해결하느니, 자신이 맡은 일차적 대의를 위해서라면 차라리 지금 이 상태로 조용히 인류의 번식에만 집중하는 편이 수월한 것은 사실이다. 하지만 그러한 사실보다, 도진이 약한 소릴 내뱉는 이유는 따로 있는 듯했다.

그런데, 창우의 표정도 불편해 보인다. 설마하니 이제 와서 도진의 꺾인 기세라거나 냉정한 그의 말로 감정이 상한 것은 아닐 텐데, 낙천적 성격인 그가 표정이 좋지 않은 데다가 언행도 이전 같지 않은 것이다.

도진은 눈치가 빠른 편이다. 비록 그 실상을 정확히 파악하는 재주까지는 부족하지만, 자신과 관련된 주변의 변화를 민감하게 잡아내는 재주는 좋다. 그것은 아마도 어릴 때부터 겪었던 일들로 인해 발달하고 습관화된 능력일 것이다.

도진이 무언가 창우의 이상한 점을 눈치챘지만, 창우는 그저 시시한 얘기나 늘어놓거나, 일의 진행 상황 등을 묻는 선에서 그쳤다.

그렇게 창우가 자리를 떠난 후, 도진은 무언가 예상되는 것이 있어, 이제는 보금자리가 된 포탄 위 여러 건물 내부와 그 인근에 정박 중인 비행선 곳곳을 가만히 살폈다. 그리고, 무언가를 발견했다. 그것은 텔레포트의 이용을 차단하기 위해 그곳에 걸어둔 차폐판이 바닥에 아무렇게나 널브러져 있는 모습이다.

텔레포트의 종단을 이용할 수 있는 조건은 두 가지이다. 그 종단과 연계된 구조물이 움직이는 상태가 아닌 고정된 상태여야 하고, 텔레포트를 구성하는 파동성 요소와 물질들이 방해받지 않도록 방해물이 없어야 한다. 도진이 그것에 걸어둔 차폐판은 그 조건에 반작용하는 것으로, 혹시 근석이나 엘라가 이곳으로 침투하는 것을 막기 위함이다.

그 장면을 본 도진의 머릿속에는 어떤 장면들이 빠르게 지나갔다. 창우가 몰래 텔레포트를 통해 어딘가로 이동하는 모습, 창우가 실수로 차폐판을 원래대로가 아닌 임의의 상태로 그곳에 걸어두는 장면, 틈이 생긴 그곳으로 인해 근석의 세력 또는 엘라가 이곳으로 몰래 침입하여 정탐하는 모습.

텔레포트에 관심을 둘만 한 내부의 인물은 현재로서는 창우밖에 없다. 그래서 도진은 얼른 진성을 불렀다. 진성은 이제 이전 몸 상태의 90% 이상 회복이 되어, 자유롭게 활동과 몸싸움 정도는 할 수는 있는 상태이다. 하지만 이전의 상태로 완전하게 심신이 복구된 것은 아니다. 그런데 진성에게 한 가지 큰 변화가 있다면, 성격이 이전과는 다르게 유연하게 바뀌었다는 것이다. 부상으로 인함인지 또는 다른 이유 때문인지는 알 수 없다.

도진의 요청에 진성을 비롯한 주민 몇 명은 건물과 시설 곳곳을 이 잡듯이 탐색하기 시작했다. 하지만, 그 어떤 특이점도 발견되지 않았다. 텔레포트의 차단판이 탈락되어 있었다는 점 외에는 그곳을 통한 외부로부터의 침투 흔적은 없는 것이다.

그러나 안심할 수는 없다. 누가 되었든, 적에게 위치를 들켰다는 것은 곧 지금의 모든 계획을 전면 수정해야 할 수도 있다는 의미이기 때문이다.

그 때문에 먼저, 중요한 생산 시설을 외부인이 확인할 수 없도록 각 생산지의 위로 위장막이라도 쳐야 하는데, 그렇게 되면 시간과 자원이 굉장히 소요되는 비효율적이고 까다로운 작업이 시작되어야 한다. 그 때문에 다른 일은 제대로 할 수 없는 상태가 되어버리는 것이다. 그래서 연구원들이 낸 아이디어는, 적이 생산 시설을 보더라도 그것이 정확히 무엇이며 어떤 용도인지 쉽게 알 수 없도록 꾸미는 것이다.

그에 따라, 모든 생산지에는 로봇의 생산 시스템을 그대로 도입한 위장용 변이체들로 뒤덮이도록 했다. 그 변이체라는 것들은 이동하지 않고 한 자리에서 다양한 형태로 생성되어, 전투 로봇들의 형태와 움직임을 가려주는 역할을 하게 된다. 그래서 로봇의 생산에 관련된 기밀 사항을 누군가가 직접 적에게 발설하지 않는 한, 적들이 그것을 얼핏 봐서는 정확한 사항을 알 수 없을 것이다.

일단 그 일은 그렇게 넘겼고, 어느 정도 시간이 지난 후에도 위협적인 상황이라거나 내부의 수상한 점은 발견되지 않았다. 그리고, 신형 로봇의 첫 완성체가 윤곽을 보였다.

이번 로봇에는 신호 송수신 기능이 추가되었으므로, 그와 관련한 안정성을 확보하기 위해 세 단계 아래의 후발 로봇이 생산되는 시점까지 기다렸다가, 통신 신호 중계기를 생산지 주변을 맴돌도록 띄웠다. 그리고 관리 로봇들이 그것에 접근해 머물도록 조치를 했다.

신호 중계기는 로봇들로부터 강제 발신된 활동 신호와 정보를 중계해 보내는 것뿐만 아니라, 로봇들의 활동과 생산 과정 전부를 기록 저장하고, 외부로부터의 공격을 일정 수준 방어하는 등 방패의 역할과 그 외에도 많은 기능을 하는 만능 재주꾼이다.

이번에 생산된 신형 로봇들은 모두 중계기를 통한 원격으로 도진과 그의 동료들이 있는 중앙통제시스템과 접속이 되었다. 그러자 모든 개체 각각의 공격성과 발달수준, 연산 과정과 에너지 소모량 등 온갖 세부적인 내용이 도진이 있는 중앙통제시스템으로 들어왔다. 그 데이터의 양은 매우 많아서, 그것을 처리하는 별도의 시설과 프로그램을 제작해야 할 정도였다.

그리고, 자신의 동종을 공격할 정도로 공격성이 강하게 생성된 변종 로봇들 역시도, 분리된 생산 시설에서 생산이 진행되고 있다. 하지만 그들의 성향답게, 동종끼리 경쟁을 하는 바람에 그 수가 확장되지 못하고 정체되거나 줄어드는 과정을 반복하고 있다. 그리고 그렇게 진행되던 중, 어느 시점부터는 그 수가 급격히 줄어들기 시작하더니, 급기야 단 73대가 남게 되는 시점이 왔다.

그런 상황에서도 그들은 모든 움직이는 것을 파괴하려 했다. 남은 73대는 지금까지의 치열한 전투에서 이겨낸 수준답게 서로가 서로에게 만만치 않았다. 그래서 그들 각자는 온갖 무기들을 제작했는데, 이상하게도 자신들의 능력을 훨씬 뛰어넘는 수준의 무기까지 만들어내는 것이다. 기껏해야 육탄전에서 발전된 방식 정도도 끝날 줄 알았던 그들이, 비록 소형이었지만 강력한 무기를 만들어내는 것이다.

그들의 전투에 생산 시설 전체가 엉망이 되었다. 생산 시설이라고 해봤자 표면 곳곳에 뒤덮인 액체 물질과 포탄의 표면, 그 표면 위의 위장용 변이체, 그리고 공중에 띄워놓은 신호 중계기와 숨어 있는 관리 로봇이 전부이지만, 그들은 마치 자신들의 본거지 자체를 없애버리기라도 할 것처럼 공격성을 발휘했고, 결국 하나가 승리해 남았다.

사실, 그 로봇 종이 그렇게 강한 공격성을 스스로 가지게 된 것은, 생산 과정에서 예상치 못한 변수에 따른 작은 오류 때문으로 추정되기도 했지만, 그 근본적 원인은 아마도 근석이 남겨놓은 인조인간 제작기술을 녹였기 때문일 것이다. 만약 정말로 그렇다면, 지금 생산 중인 어떤 로봇이든 그렇게 변할 가능성을 품고 있다고 볼 수도 있다.

루크의 지식을 물려받은 근석은 그 사실을 어느 정도 인지하고 있었기에, 인조인간 제작 시 인간의 기본 특징에서 많은 부분을 제외했었다. 그래서 그가 만들어 일꾼으로 쓰던 인조인간들이 둔하고 엉성해 보였던 것이다. 하지만 도진과 그의 동료들이 만들어 낸 결과물은 그 점을 염두에 두지 않았고, 오로지 하나의 목표만을 위해 그 기술을 마구잡이로 도입했다.

그리고 강한 공격성으로 논란이 되고 있는 그 로봇에는 굳이 밝히지 않는 사실이 하나 있는데, 그것은 바로, 그 로봇에는 도진의 유전체와 관련 정보가 사용되었다는 것이다.

그렇게 남은 하나의 변종 로봇은 승리의 기쁨 따위는 누리지 않았다. 어차피 인간의 그것처럼 감정이라고 할 만한 연산 알고리즘은 포함되어 있지 않고, 그저 공격할 대상이 모두 없어졌다는 것에 안절부절 어쩔 줄 모르는 듯 보였다.

급기야 그 한 대는 주변의 위장용 변이체를 모조리 파괴하거나 조각을 내었고, 또 다른 무언가를 없앨 생각이라도 했는지 강력한 무기를 계속해서 만들어내기 시작했다. 그리고 관리 로봇에게 그 상황을 전해 들은 도진과 연구 기술원들은 그 로봇의 활용 방안을 논의하기 시작했다.

"후발 로봇을 생산하기 위한 대칭품까지 없애버린 걸 보니, 정말로 실패작은 맞군요. 처음의 기본 설정까지 무시할 정도로 무시무시한 타입이 탄생했네요."

"그 기세는 마을의 로봇보다 더 무서울 정도입니다. 조금의 망설임도 없어요. 연산이 그렇게 빠른 모델이 아닌데 저 정도라면, 기본 행동 알고리즘이 끼어들지 못할 정도로 강력한 가변 행동 알고리즘을 스스로 만들어냈거나, 반대로 행동 알고리즘 자체를 단순화시켰다는 의미입니다. 자칫 잘못되면 우리의 적이 더 늘 수도 있겠군요."

"뭐, 어쨌든 마을의 사태와 같은 일이 발생하지 않도록 테스트한 것에 불과하니, 이 결과에 너무 집중하지 맙시다. 표현 그대로 테스트잖아요."

연구원들은 서로 말을 주고받으며 그 결과에 대해 논했다. 사실 그러한 불량품은 전체 폐기를 하면 그만이다. 하지만 다른 로봇들도 그런 식으로 변종이 될 가능성이 있기에 확실한 대책 마련은 필요하고, 일부는 그것을 활용해 강한 로봇을 탄생시키자는 의견도 냈기에 그저 쉽게 없앨 수는 없다. 하지만 실질적인 활용법은 나오지 않고 있으므로 디렉터가 중재를 하기 시작했다.

"목적을 이루기 위한 집중력과 공격성 하나는 정말 좋군요. 경쟁에서 이기는 것이 목적이니. 어쨌든 이런 막무가내 로봇도 적절히 활용하면 도움이 되겠죠. 교정 로봇을 보내어 그 공격성을 낮춰봅시다."

교정 로봇이란 인간이 직접 조종을 하는 로봇으로, 디렉터가 말한 의미는 현재 생산 중인 모든 로봇을 개별적으로 제압할 수 있는 아주 강하게 제작된 로봇을 그 생산 시설에 투입하는 것이다. 즉 교정 로봇은 훈련 교관쯤으로 칭할 수 있다.

교정 로봇은 강력한 몸체를 가진 대신 인공지능이 탑재되지 않고, 오로지 기술원들의 조작 신호에 따라 그대로 움직이는 구시대적 단순 로봇에 불과하다. 그래서 매우 강한 힘을 가지고 있어도, 그 교정 로봇이 스스로 인간을 공격할 일은 없다. 마침 생산지 전체에 로봇 원격 제어와 각종 신호 송수신을 위한 중계기가 도입되었으므로, 이참에 완전하게 제어 가능한 교정 로봇 한 대를 거기에 투입해보려 한 것이다.

"지금까지 그 로봇의 활동을 분석한 결과를 보니…. 학습 능력은 아직 적절히 갖추고 있으니, 자신보다 더 강한 로봇이 나타나면 아마 공격성을 보완해줄 방어성이 높게 발현되어 점점 꼬리를 감출 겁니다. 공격성과 방어성은 서로 균형을 맞추도록 프로그램되어 있으니까요.

일단 이 로봇의 생산은 지속하도록 하죠. 마을을 공격할 때 선발대로 세울까, 하는 생각이 듭니다. 하지만, 대량 생산을 하려면 이 로봇이 쌍을 이루어 정보처리 작업 후 후발 로봇에게 그 정보를 내려줘야 하므로, 아군을 식별할 능력을 갖춰야 할 필요가 있겠죠. 자신이 이기지 못하는 상대가 나타나면 공격성이 줄어들고, 그에 따라 방어 성향이 강해지면 협동을 하려 할 겁니다. 그러면 스스로 아군의 수를 늘리려 하겠죠.

데이터를 보니 처음의 기본 설정값와 행동 알고리즘은 그대로 남아 있습니다. 파생된 가변 알고리즘이 문제가 좀 있긴 하군요. 어쨌든, 일단 그렇게 해서 반응을 지켜보죠."

그 남은 한 대의 변종 로봇의 종류 명칭은 '전갈'로 정해졌다. 처음 계획과는 조금 다르게 워낙 많은 로봇의 유형과 개체의 특성이 만들어지고 있으니, 비슷하게 제작된 부류를 묶어 구분할 별명 정도는 있는 편이 관리와 후속 조치 작업에 수월하기 때문이다. 그리고 지금 남아 있는 그 단 하나의 완성체를 기준품 또는 표준품으로 칭하며 지정했다.

전갈은 이상하게 강해진 공격성 때문에, 후발 로봇의 생산에 이바지해야 한다는 본분은 망각하고 혼자서 무언가를 하고 있었는데, 이미 중계기는 파괴해 없애버렸고, 이제는 관리 로봇의 존재를 인지하고 그를 공격 목표로 정했다. 관리 로봇을 공격 목표로 정해 준비한다는 것은 선을 넘는 행위이다. 그것은 허용 가능한 행동 패턴 범위를 크게 넘어서는 것으로, 단순히 로봇들끼리 서로 싸우고 경쟁하는 것과는 그 의미가 다르다. 그것은 도진의 세력을 간접적으로 공격하는 것과 마찬가지이다.

전갈의 목표가 되어버린 관리 로봇은 인공지능을 갖춘 형태이지만, 공격이나 방어를 하는 프로그램 자체는 갖춰지지 않았다. 오로지 목표의 활동 감시와 메시지 전달자의 역할이다. 그래서 전갈의 공격을 막을 수 있을 리가 없다.

전갈이 도진 세력의 대리인 격인 관리 로봇을 공격하기 위한 준비를 마쳤을 무렵, 새로운 중계기 한 대가 그 생산지 위로 나타나 움직이기 시작했고, 그와 함께 무언가가 그 전갈의 앞에 나타났다. 그것은 전갈을 때려눕히기 위해 투입된 교정 로봇이다. 그렇다고 전갈을 없애버리는 것이 아닌, 교정 로봇이 이기기 어려운 강한 적이라는 것을 깨닫게 만들어 공격성을 낮춘 후, 계속해서 자신과 같은 형태의 로봇을 스스로 생산하도록 이끌기 위함이다.

둘은 곧장 격투를 시작했다. 하지만, 작정하고 만들어 보낸 교정 로봇을 전갈이 이길리는 만무하다. 전갈이 아무리 집중력과 공격성이 강하고 도구를 만들 수 있다고 한들, 그것은 그에게 주어진 능력과 환경에서만 유효하다.

결국, 전갈의 약점을 완벽히 파악하고 그에 맞도록 무장한 교정 로봇이 승리했고, 교정 로봇은 전갈이 기세를 완전히 꺾고 공격 수치가 낮아질 때까지 적절한 강도로 공격을 지속했다. 그러자 전갈의 방어성이 높아짐과 동시에 공격성이 정말로 낮아졌다.

그렇게 전갈을 굴복시킨 교정 로봇은 임무를 완수한 후 회수되었고, 전갈은 다시 혼자 남았다. 다행히도 이번에는 도진 세력의 계획대로 진행되기 시작했다. 전갈은 비록 애꿎은 위장용 변이체들을 수시로 건들며 자신의 본능을 푸는 듯 보였지만, 대체로 얌전하게 굴었다. 더는 무기도 만들지 않았고, 관리 로봇을 보아도 방어적인 자체를 취하거나 본척만척했다.

그 결과에 따라, 전갈은 이전처럼 그 전용 생산지에서 단독으로 생산되기로 결정되었다. 아직 그 로봇에 믿음이 가지 않았기 때문이다. 그 믿음이란 안정적인 대량 생산의 가능성을 뜻한다.

그리고, 본격적인 대량 생산에 들어가기 위해 그의 대칭이 될 로봇 하나를, 전갈 표준품의 몸체 구성 조직과 행동 패턴을 복사하여 그와 유사하게 제작하여 투입했다. 굳이 불안정한 전갈의 현재 데이터와 구성 조직을 추출하여 그것을 토대로 만든 이유는, 전갈 표준품이 거부감을 일으키지 않도록 하기 위함이다. 상대가 자신과 형태나 행동 패턴이 다르다면 즉시 적으로 인지할 것이 뻔하기 때문이다.

표준품은 다행히 새로 투입된 동족인 복제품을 적으로 여기지는 않았다. 하지만 그렇다고 해서 완전한 협조자로 여긴 것도 아닌 것 같다. 그래도 서로를 공격하지만 않으면 일단 대량 생산은 가능하기에 문제 될 것은 없다.

그런데, 표준품은 생산 과정에 집중하지 않았다. 그 점을 이상하게 여긴 담당 연구원이 관리 로봇을 통해 데이터를 분석한 결과, 한 가지 문제가 있었다. 전투력이 발동되는 조건과 능력 자체는 아직 훌륭한 상태이나, 공격해야 할 대상이 없으니 공격성이 현저히 낮아진 상태로, 높아졌던 방어성 역시도 다시 낮아지는 것이다. 하나를 낮추면 다른 하나가 높아지며 서로 균형이 맞춰질 거라 예상했지만 오판이었다. 즉, 공격성과 방어성 모두 낮아지고 있으니 다른 기능들도 성능이 떨어지고 있다. 내부 프로그램의 허점이 드러난 것이다.

담당 연구원은 도진의 동의하에 직접 이 부분을 손보기로 했다. 하지만 현재 전갈 표준품은 연구원이 임의로 내부 프로그램을 수정할 수 있는 상태가 아니다. 이미 스스로 학습하고 경험한 정도에 따라 내부 알고리즘과 설정값이 복잡하게 형성되어 있으니, 자칫 잘못 건드렸다가 아예 못 쓰게 될 수도 있고, 그보다, 시험과 수정, 개선을 반복할만한 시간적 여유가 부족하다. 게다가 그 내부 프로그램에 강제 접근할 수 있는 외부 입출력 포트가 오랜 전투로 인해 훼손되어 있는 상태다.

그래서 연구원은 아주 미세한 로봇들이 전갈 표준품의 내부로 들어가, 아주 천천히 설정값들을 바꾸는 방법을 써보기로 했다. 천천히 설정값을 바꾸는 이유는 부작용의 우려를 낮추기 위해서이다.

미세한 로봇들의 설계와 형태는 단순한데, 그것들은 그저 전갈 몸체의 내부로 들어가 연산과 정보 저장부에 달라붙어, 정밀하게 제어되는 전자기장으로 설정값을 바꾸도록 하는 것이다. 그런 역할을 하는 로봇들을 치료 로봇이라고 칭한다. 치료 로봇들은 너무 크기가 작고 움직임 패턴이 단순하며 연약해, 많은 수를 그 내부로 투입해야 한다.

그러한 방법으로, 일단 전갈의 공격과 방어성을 적절하게 조절하도록 치료 로봇의 역할을 부여했다. 그리고, 만약 공격성이 너무 높아 문제가 생겨도, 절대로 중계기나 관리 로봇을 공격하지 않도록 하는 인위적인 자체 제어 알고리즘도 최소한으로 추가하도록 했다. 그런다고 해서 문제가 완전히 해결되지는 않겠지만, 일단은 대량 생산이 중요하기에 임시로 조처를 한 것이다.

그렇게 수많은 작은 크기의 치료 로봇들은 임무를 부여받아 관리 로봇에게 건네졌고, 관리 로봇들은 치료 로봇들을 전갈에 집어넣었다.

그 효과는 즉시 나타나지 않았다. 원래 그렇게 의도했으니 치료 로봇이 제 역할을 하지 못하는 것은 아니다. 아마 치료 로봇들은 정해진 프로그램대로 천천히, 전갈의 내부에서 연산과 정보 저장 부분을 찾아 그 설정값을 조금씩 바꾸는 중일 것이다.

어느 정도 시간이 지난 후, 그 효과가 나타나기 시작하는 듯 보였다. 전갈이 정상적으로 생산을 시작한 것이다. 심지어 후발 생산되는 로봇들은 불필요할 정도로 공격적인 성향은 보이지 않았다.

"다행이군요."

"그런데, 조금 이상한 점이 보입니다."

관리 로봇으로부터 정보를 받고 있던 담당 연구원이, 만족스러운 태도를 보이던 디렉터에게 자신의 부정적 의견을 전하기 시작했다.

"전갈이 가끔 중계기와 관리 로봇을 빤히 바라본다는 메시지가 들어왔습니다."

"그냥 바라볼 뿐 아닙니까. 중요한 내용은 아닌 것 같군요."

"그랬으면 좋겠지만, 제 생각엔 중계기나 관리 로봇을 공격 대상으로 물색하는 것은 아닌가 하는 생각이…."

"중계기와 관리 로봇은 공격 대상으로 삼지 않도록, 관련 알고리즘을 개선하는 프로그램을 치료 로봇들이 적용 중이니, 시간이 지나면서 나아질 겁니다."

"네. 하지만, 다시 이전의 그 성향이 나타나려는 것 같다는 생각이 들기도 합니다."

"시간, 시간을 두고 봅시다. 괜찮을 겁니다."

연구원은 어떤 데이터를 가만히 지켜보다가 무언가 말을 하려는 듯 입을 움찔거렸지만, 디렉터의 고집스러운 면으로 인해 그 말을 내뱉지는 않았다.

어쩌면, 지구에서의 인간 사회에서 흔히 나타나던 문제가 지금 이곳에서도 나타나고 있는 것일지도 모른다. 기존의 패러다임을 바꾸고 있던 동력이 여러 가지 상황으로 인해 약해지고 있는 것이 아닐까.

담당 연구원의 분석 결과가 맞았다. 전갈 표준품과 그의 정보처리 협조 상대인 복제품은, 내부에 입력 저장되어 있던 도구 제조 기술을 사용해 주변의 자원들로 원거리 무기를 만든 후, 중계기를 향해 그것을 사용했다. 중계기는 폭발했고, 그 과정이 진행되는 동안 누구도 눈치채지 못했다. 아니, 담당 연구원은 그 조짐을 알고 있었다. 하지만 전갈 생산의 실질적 책임자인 디렉터의 만류로 그저 지켜보고만 있었을 뿐이다.

그런데, 이상하다. 분명 전갈에는 중계기와 관리 로봇을 공격 대상물로 인지하지 않도록 하는 개선 대책이, 치료 로봇에 의해 들어가 있는 상태였다. 치료 로봇이 제 역할을 못 했을 가능성이 크지만, 데이터상으로는 치료 로봇이 분명 무언가 작업을 했다는 흔적이 남아 있다.

그렇다면, 전갈 스스로가 치료를 거부했다거나, 또는 외부의 요인으로 인해 전갈의 변태적 공격성이 다시 나타난 것이라고 봐야 한다. 중계기를 공격할 정도로 다시 이전의 공격성이 나타났다면, 그 곁에 있는 복제 로봇이나 후발 생산된 로봇들을 대상으로도 공격을 해야 했는데, 그렇지는 않았다. 전갈은 오로지 중계기, 그리고 관리 로봇을 공격 목표로 삼고 있던 것이다.

관리 로봇도 전갈에게 공격을 받았고, 관리 로봇 역시도 대책 없이 무너졌다. 그 사실을 전해 들은 도진은 해당 로봇 종의 생산 상황에 확실히 문제가 있음을 인지하고는 디렉터와 의논을 했다. 그렇게 위험한 상태라면 독단적으로 프로젝트를 멈출 수도 있지만, 왜인지 전갈 로봇 종에 대해서는 디렉터가 크게 관심을 가지고 있으므로 그와 의견을 나눈 것이다.

"아무래도, 전갈의 대량 생산은 멈춰야 할 것 같습니다. 너무 불안정합니다."

"그 점은 처음부터 알고 있었잖아요. 정말 특이하긴 하군요. 그런데, 좀 이상합니다. 확인을 해보니 치료 로봇을 통한 프로그램과 설정값 업데이트까지는 정상적으로 되었는데, 그 이후에 BASE-T 영역으로 의도치 않은 비정상적인 설정값이 들어갔더군요. 그럴 수는 없지 않습니까. 우리도 쉽게 할 수 없는 그 영역의 설정값을 전갈이 스스로 바꿨을 리는 없는데. 그 원인이 뭐라고 보십니까?"

"BASE-T 영역이라면, 그 안의 설정값을 스스로 바꾼다는 건 우리 인간이 단지 잠깐의 생각과 행동만으로 본능을 바꾸는 것과 마찬가지니, 설계상으로도 그건 불가능합니다. 혹시, 외부의 영향을 받은 건 아닌지 의심이 됩니다."

"저도 그런 생각이 들긴 합니다만…."

잠시 정적이 머물렀고, 도진이 그 정적을 깨며 말했다.

"전갈은 완전히 폐기하도록 하죠."

"전갈은 그 장점도 충분히 가지고 있습니다. 막무가내로 상대에게 돌격하는 능력과 영악한 전투 전략, 섬세한 움직임과 도구 제조 능력은 다른 로봇 대비 우수하며 차별화된 기능입니다. 비정상적 공격성만 제어할 수 있다면 활용성이 좋습니다."

"그렇다면, 이렇게 하죠. 저 상태로는 대량 생산이 의미가 없습니다. 그래서, 자동으로 공급을 받는 에너지를 끊도록 하죠."

"에너지를 끊는다고요?"

"공격성을 다른 부분으로 분산시킴과 동시에, 공격성을 높일만한 여유를 없애는 겁니다. 에너지를 자신들이 구해서 공급받게 하는 거죠. 내부 에너지 수준이 낮아지면 에너지원을 구해야 하니, 그동안은 공격성을 발휘할 수 없고, 에너지를 채운 후 행동 알고리즘이 최대치로 가동될 될 때 다시 에너지 수준이 낮아지고를 반복하는 것이죠.

현재 모든 생산지에는 위장용 변이체들이 깔려있지 않습니까. 그 위장용 변이체 역시도 자원이고 에너지원입니다. 전갈은 그것을 스스로 가공해 에너지원으로 삼도록 하는 겁니다."

"그렇게 되면 효율이 너무 떨어지는데…."

"어차피 선발대로 쓸 것 아니었습니까? 적진에 투입될 때는 에너지를 최대로 충전해서 출격하잖아요. 단지 생산 시설 내에서 자동으로 에너지를 공급해주는 시스템을 수동으로 바꾸자는 것뿐입니다. 그렇게 페널티를 줘서 다른 로봇 종들과 함께 생산되도록 하죠."

"에너지 공급은 그렇다 치고, 왜 굳이 생산지까지 옮기려 합니까?"

"전갈은 홀로 두면 안 될 것 같다는 생각입니다."

도진은 전갈의 행동 개선이 이루어지지 않는 이유가 어쩌면, 누군가가 개입을 했기 때문일 수도 있겠다는 생각이 들었다. 만약 도진과 디렉터가 눈치채지 못하게 누군가가, 어떤 식으로든 전갈의 내부 프로그램을 바꿔버린다면 분명 마을의 로봇들이 일으킨 사태가 또다시 일어나리라 판단했다. 그래서 전갈은 다른 로봇들과 함께 두고 어떻게든 견제와 감시를 받도록 해야 한다고 생각했다.

하지만 도진은 디렉터에게 그 이유까지 자세히 설명하지 않았다. 확신한 것은 아니지만, 디렉터 역시도 내부의 적일 수도 있기 때문이다. 도진으로서는 이 전쟁에서 이기는 것도 중요하지만, 더 심각한 사태가 벌어지지 않도록 하는 것도 그에 못지않게 중요하다.

"어째서 그렇습니까? 전갈은 특수 부대입니다. 특별한 환경에서 생산해야 그 관리가 수월할 테고, 다른 로봇들과 섞이다가는, 다른 로봇들이 전갈을 감당하지 못할 텐데요."

"전갈의 장갑 수준을 더 낮추고, 움직임은 더 세밀하게 개조해 균형을 맞추죠. 물론 내부 프로그램과 지금까지의 행동 데이터는 그대로 둘 겁니다. 그것까지 건드리면 의미가 없을 테니까요. 그리고 다른 로봇들처럼 원격으로 통제하는 방식을 써보도록 하죠."

그렇게 되면 현재 전갈의 특별한 특성은 잃게 되는 것이다. 디렉터는 그 점이 아쉽다는 표현을 가볍게 하였지만, 전갈의 불안정한 상태로 인해 더는 자신의 주장을 내세울 수는 없었다. 그래서 지금까지 대체로 그래왔듯 도진의 의견을 따르게 되었다.

전갈의 복제품 한 대가 수거되어 기술실에서 개조가 이루어졌다. 현재까지는 표준품과 마찬가지로 복제품 역시도 원격 통제 장치가 설치되어 있지 않은 구형 제품이므로, 기술원들이 직접 개조를 진행해야 했다.

복제품은 그 자체의 하드웨어와 소프트웨어의 변형은 이루어지지 않았다. 다만 이제 그로부터 정보를 받아 생산될 후발 로봇들에게는 개선된 사항이 반영되는 것이다.

그렇게 전갈은 다른 로봇들과 함께 생산되는 생산 시설로 이동하게 되어, 이전처럼 타 종과의 경쟁 시스템으로 들어갔다. 특수군사인 만큼 그 전투능력은 대단하나, 정해진 원칙을 어기려 들 때마다 교정 로봇이 투입되어 전갈 표준품과 복제품 둘을 함께 제압했다. 그렇게 해서 학습을 시켜야 후발 로봇들에게 그 변태적 공격성을 물려주지 않기 때문이다.

표준품과 복제품은 원격으로 관리가 되지 않고 있으므로, 그러한 구시대적인 방법을 써 수고스러움을 감수해야 한다. 하지만 그들의 내부 정보를 받아 생산되는 후발 로봇들은 원격 제어와 데이터 업데이트가 가능하게 될 것이다.

그리고 그러한 노력 끝에 도진의 세력이 원하는 대량 생산이 무난하게 진행되기 시작했다.

도진과 디렉터, 그리고 연구 기술원들은 다음 전투에 투입될 로봇 군대를 조직하기 위해 각 생산지의 상황을 자세히 살폈다. 사실, 그들은 이번이 마지막 공격이라고 생각하고 각오를 다진 상태였다. 그만큼 도진과 그의 동료들이 이 프로젝트에 최선을 다하고 있는데, 그것은 심신이 지쳤다는 의미로 해석할 수 있다. 언제까지나 이런 식으로 같은 과정을 반복할 수는 없을 것이다.

마을을 되찾거나, 아니면 포기하거나, 또는 완전하게 다른 방법을 모색하거나, 무언가 안정을 되찾을 확실한 대책이 필요한 시점이다. 게다가 마을의 로봇을 대상으로 한 공격에 실패할 때마다 적은 자신들의 수를 배로 늘려나갔으니, 실패에 대한 대가가 큰 부담으로 다가올 수밖에 없다.

기술원들은 각 생산 시설을 직접 찾아, 생산된 로봇의 표본을 수거해 자신들의 계획 실행에 최적화된 상태인지 계속해서 분석했다. 그리고 일단은 만족할만한 상태임을 확인했다.

무언가 수상한 그의 두 친구

다시 적진으로 보내기 위한 로봇 군대가 조직되었다. 이번에는, 한때 무자비한 공격성으로 골칫거리였던, 전갈 종으로 대량생산된 개량형 로봇들도 포함되었다. 다만 그 원형이라고 볼 수 있는 표준품은, 표현 그대로 분석용 또는 생산 표준품쯤으로 여겨져 전투에는 투입되지 않을 예정이다.

그리고 전갈로만 이루어진 부대는 디렉터의 결정에 따라 선발대로 출격하도록 계획되었다. 전갈 종으로만 구성된 부대를 포함하여, 여러 생산지에서 경쟁 우위에 선 로봇 종들로 구성된 군대가 꾸려진 것이다.

전투 로봇들은 대형 수송 침투선 11대에 나뉘어 탑승했는데, 전갈 부대는 별도로 구분된 2대에 탑승했다. 전갈 부대를 선발로 적과의 전투를 시작시킨 후, 뒤따라 다른 종들을 추가 투입하려는 계획이다.

다른 종들은 그 특징과 성능에 따라 크게 3종류로 나뉘었는데, 각각 그 별명을 독수리, 코뿔소, 표범으로 칭했다. 그리고 그 로봇들은 이제 곧 적진에 투입될 예정이고, 그때가 될 때까지 대기모드로 들어갔다.

"준비는 다 되었습니까?"

도진의 물음에 한 기술원이 답했다.

"전투 로봇들은 모두 수송선에서 대기중입니다."

"적의 상황은요?"

"증식은 멈췄지만, 그 수가 2000만에 이를 것으로 추측됩니다. 그리고 분석이 불가능한, 이전에는 없던 무기 체계가 갖춰져 있는 것으로 확인되는데, 수송선을 접근시키기 전에 더미 비행선 몇 대를 먼저 보내보는 편이 나을 것 같습니다."

더미 비행선이란 안에 아무것도 실리지 않은, 형태만 겨우 갖춘 비행선을 뜻한다.

"오히려 더미 비행선 때문에, 그들이 전투를 준비할 수 있는 시간을 주는 꼴이 되지는 않을까요?"

"알 수 없는 공격 방법에 전멸당하느니, 어떤 맛인지 조금 떠먹어 확인 후 입속에 넣는 것이 낫지 않겠습니까."

"다른 분들의 의견은요?"

"맛부터 보는 게 낫다고 봅니다. 적들이 더미로 인해 전투 준비를 시작한다고 해도, 그 자체가 우리 계획의 진행에는 큰 영향이 없을 것 같습니다."

"그렇습니다. 우리도 더는 로봇들이 육탄전만 하지 않고 강력한 원거리 무기를 쥐고 있는 데다가, 최선을 다해서 정예를 뽑았으니 대응 가능하리라 생각됩니다."

현재 불리한 조건에 있는 도진의 세력으로서는, 어떤 식으로든 적진으로 몰래 접근해 침투하는 기습 공격이 최선이다. 더미 비행선을 먼저 투입하여 상대의 반응을 본다고 하더라도, 곧장 이어지는 실 전투를 위한 군대 투입은 은밀하게 하는 편이 낫다.

하지만 적진으로 변한 마을은 이 우주의 시초 점이고, 공간을 구성하는 물질은 마을로부터 방사형으로 퍼져나갔으므로 정면에 해당하는 영역으로 외에는 접근할 수가 없는 상태이다. 그 외에는 공간이라는 개념이 존재하지 않는 '무언가'이기 때문이다.

"좋습니다. 그렇게 하죠. 더미 비행선 제작이 끝나는 대로 출격합니다."

도진은 다부진 목소리와 근엄한 말투로 말했다. 하지만 최근부터 그의 표정에는 조금은 지친 기색이 드러나 있다. 이 우주에서의 인간들은 이전 지구에서와는 신체 에너지 대사가 달라, 여러 부분에서의 특성이 강해져 있다. 그리고 농축된 필수 영양성분을 항상 간편하게 채울 수 있으므로 이런 특수한 환경에서의 활동이라도 쉽게 피로함을 느끼지는 않는다. 그러므로 그의 그 기친 기색은 아마도 마을을 되찾기 위한 준비과정 때문만은 아닐 것이다.

그렇게 더미 비행선이 제작되고 있을 때. 도진과 그의 동료들이 주로 생활하고, 중요한 결정을 내리는, 그리고 로봇의 연구가 이루어지는 시설에는 2명의 연구원이 곧 시작될 전투의 준비를 마무리 하느라 그곳에 남아 있다. 얼마 전까지만 해도 모든 연구 기술원이 이곳에 머무르고 있었으나, 현재는 여러 가지 이유로 대부분 이곳을 벗어나 있다.

그런데, 이곳에 어떤 사람 둘이 수상한 발걸음으로 들어왔다. 물론 그들은 보안이 철저한 이 시설에 들어오면서 그 어떤 제재나 걸림돌 따위는 없었다. 그리고 그들은, 자신들의 일을 하며 앉아 있던 2명의 연구원 중 하나에 조용히 다가가 무언가로 목과 어깨 사이를 강하게 타격했고, 둔탁한 소리를 듣고 고개를 돌린 다른 한 연구원에게도 재빨리 다가갔다.

"어? 이게 지금 무슨,"

그리고 그마저도 침입자의 손에 들려진 무언가에 맞고 정신을 잃었다.

그러자 침입자들은 빠른 손놀림으로 각종 기술 자료와 로봇 생산 현황, 그리고 로봇의 세부 데이터가 있는 저장소에 접근을 시도했다. 그 과정 역시도 거침없이 매끄러워, 마치 키보드로 알파벳을 순서대로 치는 것과 같이 수월해 보였다.

그것을 하던 한 침입자가 바쁘게 놀리던 손을 장치에서 떼고 그것에서 약간 물러나자, 이번에는 그 뒤에 서 있던 다른 한 사람이 정보 출력기에 띄워진 각종 자료를 살펴보기 시작했다. 그리고 잠시 후, 아마도 자신들이 원하는 것을 얻은 것이 분명한 둘은 조용히 이곳을 떠났다.

마을의 적들을 향한 공격 준비가 마무리되고 있는 이 시점에, 연구원 2명이 정체불명의 침입자들에게 부상을 당했다는 사실에 이곳은 한바탕 난리가 났다.

"침입자의 정체는? 확인되었어?"

"몸의 특징을 가리는 펑퍼짐한 코트 형태의 옷을 입고 있었고, 가면을 쓰고 있어서 알 수가 없어. 다만, 둘 중 하나는, 몸짓으로 봐서는 여자인 것 같았어."

도진과 진성은 침입자들의 정체를 파악하기 위해 애를 썼으나, 그들의 흔적은 말끔히 지워져 있다. 그나마 진성이 그들의 모습을 조금이나마 확인이 가능했던 이유는, 침입자에게 타격을 받아 쓰러졌던 연구원 한 명이 켜 둔, 업무 기록용 레코더에 그 모습이 어렴풋이 저장되었기 때문이다.

"여자?"

그 단어에 도진이 예상할 수 있는 인물이란 단 한 명이다. 바로 '엘라'이다.

근석과 엘라는 요주의 인물이기 때문에, 도진과 그의 동료들은 물론이거니와 모든 주민들이 그 존재가 나타남을 항상 감시해왔다. 그랬기에, 그녀가 누군가의 조력을 받아 갑자기 이곳에 나타났음을 추정해 볼 수 있고, 그 조력자란 내부인이 분명하다는 판단을 할 수 있다. 그 짧은 시간에 로봇에 대한 자료를 열람했고, 내부 시설 감시 기록을 완벽하게 삭제했다는 것은 내부인이 아니고서는 이룰 수 없는 것이기 때문이다.

그나마 다행이었던 점은, 기술 자료 전체와 중요한 내용이 탈취

당한 것이 아닌, 단순 자료들만 열람되었다.

그렇게, 더미 비행선이 완성을 앞두고 있고, 전투 로봇들이 곧 마을로 출격해야 하는 시점에, 도진의 세력에게 골칫거리가 나타난 것이다.

"하필 이럴 때…. 중요한 순간에만 나타나는군. 젠장."

도진은 나지막하게 불만을 표했고, 앞으로의 계획을 일부 수정해야 한다.

"더미 비행선의 완성도는 얼마입니까?"

"85% 정도입니다."

그 말을 들은 도진은 잠시 고민 후에 디렉터에게 말했다.

"더미 없이 바로 들어가죠."

도진은 엘라가 이 일을 방해할 것이 분명하다는 생각에, 과정 하나를 빼고 진행하길 원했다. 그것은 조급함이라기보다는 지금까지의 경험에 따른 실효적 결론이다. 하지만 다른 연구원 몇몇이 우려를 나타냈다.

"침입자들은 단지 자료 일부를 보고 갔을 뿐입니다. 그것으로 우리를 어떻게 해코지하겠다는 그 어떤 근거도 현재 없습니다. 하지만 마을의 적들이, 분석조차 안 되는 공격 시스템을 갖추었다는 것은 확실한 사실이고 현상입니다. 우리는 언제나 확실한 근거만을 가지고 움직였지 않습니까."

언젠가부터 도진과 다른 동료들 사이에 입장이 반대가 되었다. 최초 네닉 시스템의 연구를 시작할 당시 도진은 그 어떤 허점이나 빈틈도 용납하지 않았다. 아주 작은 오차라도 무조건 바로잡아야 했고, 근거가 없는 의견이나 추정은 어떻게든 확실한 근거를 확인하고 나서야 수용한 것이다.

하지만, 도진은 배신자의 존재를 알게 되면서부터, 그리고 일이 꼬여가기 시작하면서부터는 자신의 느낌을 더 중요하게 생각하기 시작했다. 자신이 하는 일은 감성보다 이성과 논리가 훨씬 더 중요하다는 것을 알면서도 그랬다.

도진은 이 중요한 일에, 충분히 논리적이고 일리가 있는 동료들의 의견까지 묵살할 수는 없기에, 일단 공격을 감행하게 될 그 시점까지 보안과 방어를 철저하게 하기로만 결론을 내고, 원래의 계획대로 진행하기로 했다.

얼마 후, 더미 비행선이 완성되었고, 모두는 긴장감 속에서 더미 비행선을 적진으로 날렸다. 텅 빈 비행선은 일시적이고 인위적으로 수축된 공간을 뚫고 적진으로 곧장 날아갔다.

그런데, 어떤 특이점이 적진이 아닌 아군의 기지에 나타났다. 아직 더미 비행선에 대한 적의 반응이 확인되지도 않았는데 수송선들이 움직이기 시작한 것이다. 수송선들은 기지에서 보내는 원격 신호를 받으면 그에 따라 마을까지 가게 되어있다.

"아직, 아직 아닙니다. 멈추세요!"

디렉터가 통제실 안에서 소리쳤다. 하지만 전투 로봇을 실은 수송선은 디렉터와 기술원들의 지시를 따르지 않았다. 즉 누군가가 공식 통제자의 지시를 무시하고 수송선을 마음대로 제어하고 있는 것이다.

그 장면을 본 진성이, 잠시 어딘가로 가 있던 도진을 데리고 왔다.

"무슨 일입니까?"

도진의 시야에는 통제실 안에서 분주하게 움직이고 있는 사람들과 난감한 표정으로 이 상황을 지켜보고 있는 디렉터가 들어왔다.

"수송선이, 제멋대로 움직이기 시작했습니다."

그러자 도진은 직접 통제실 내 제어 도구들을 조작하기 시작했다. 하지만, 수송선은 최고 사령관인 그의 지시도 무시한 채 유유히 아군의 기지를 떠나고 있다.

"이게 어떻게 된 겁니까?"

그러자 기술원 한 명이 말했다.

"통제가 되지 않습니다. 제어 신호의 발신에 대한 수신 응답을 분석해보니, 중간에서 누군가가 신호를 가로채고 엉뚱한 신호를 수송선으로 집어넣고 있는 것 같습니다. 그 목적지도 마을이 아니라, 어떤 다른 곳으로 향하려는 것 같습니다."

그 말을 들은 도진의 머리에서는 즉시 엘라가 떠올랐다. 도진은 통제실의 일은 디렉터에게 맡겨두고, 진성과 비행선을 조종할 수 있는 기술원 몇을 데리고 건물을 빠져나와, 비행선들이 정박 중인 격납고로 향했다.

"이 비행선들로 수송선의 진로를 막을 겁니다."

"이걸로? 어떻게…. 아…."

진성은 그 말의 의미를 알아챘다. 비행선으로 수송선을 충격하는 구식 방법으로 문제를 해결하자는 뜻이다.

"그런데, 그 큰 수송선을 이런 정도로 될까?"

"수송선의 진행 방향만, 수송선의 움직임을 막아줄 방향으로만 틀면 돼. 수송선은 생산지로 충돌시켜서 멈춰 세울 거야. 그래서 그 영향을 가장 적게 받을만한 큰 생산지로 보내야 해. 1번 수송선은 생산지 사이트 J11로, 2번 수송선은 J15로, 3번 수송선은…."

도진은 빠른 말투로, 지금 이 상황을 수습할 계획을 동료들에게 알렸다.

"어서, 수송선이 더 속도를 높이기 전에 막아야 해."

진성과 기술원들은 자신들이 각자 맡은 비행선으로 뛰어가 출격했다. 그리고 비행선을 각 수송선의 앞부분으로 근접시켜 기체끼리 부딪치도록 한 후, 수송선의 머리를 다른 방향으로 돌리기 위해 비행선을 최대 출력으로 추진을 시켰다. 비록 수송선의 규모가 비행선보다 훨씬 더 크지만, 기본적으로 비행선은 전투용으로 설계되고 디자인되었기 때문에 그보다는 훨씬 튼튼하고 출력도 우수하다.

수송선 11대가 본격적으로 가속하여 멀어지기 전에 멈춰 세워야 하므로, 그 임무를 수행 중인 비행선들은 최선을 다하고 있다. 하지만 그중 3대는 이미 손을 쓸 수도 없을 정도로 가속이 되어 날아갔기 때문에, 놓치고 말았다.

그런데, 그렇게 놓친 3대의 수송선이 제멋대로 방향을 설정해 나아가는가 싶더니, 갑자기 방향을 바꾸어 수축되어 있던 공간으로 향했다. 그러자 그 3대의 수송선은 곧장 마을로 진입했고, 수송선 안 로봇들에 설정되어 있던 대기모드가 자동으로 해제됨과 동시에 특별 전투모드로 전환되었다.

수송선은 사방으로 나 있던 게이트를 열어, 그 안의 로봇들이 마을의 중심으로 진격할 수 있도록 했다. 그리고 그중에는 전갈 부대도 포함되어 있다.

전갈 부대는 물 만난 물고기처럼 공격력을 자랑하기 시작했다. 저돌적인 그들은 때때로 도구와 무기를 사용하기도 하며 움직이는 물체를 보이는 족족 때려눕혔고, 다른 종류의 로봇들도 적절한 협동과 전략을 통해 마을의 로봇들과 치열한 격투를 벌였다. 하지만, 그뿐이었다. 결과는 다시 마을 로봇의 승리로 돌아갔다.

다만, 투입되기로 계획된 수량 중 30% 정도의 아군 병력으로 적들에게 막심한 피해를 줬기에, 어쩌면 그 가능성을 보았다는 긍정적인 평가를 할 수도 있다. 하지만 마을의 로봇들은 이제 그 수를 다시 배로 불릴 것이고, 공격 체계도 더 강화함과 동시에 공격의 근거지를 찾기 위해 집중할 것이다. 즉, 결과만으로 보자면 완벽한 패배였다.

그리고 몇몇 생산지로 그 머리를 돌려 멈춰선 수송선들의 상태도 그렇게 만족스러운 편은 아니다. 8대 중 5대는 정해진 생산지에 충돌하며 멈춰 서긴 했지만, 내부 로봇들 다수가 파손되었다, 그리고 수송선 2대는 원하는 대로 제어하지 못한 탓에 엉뚱한 포탄과 부딪혀 기체가 녹거나 파손되었으며, 다른 1대는 수송선의 에너지 저장부에 구멍이 생겨 폭발했다.

지금까지의 상황을 모두 파악한 도진과 그의 동료, 심지어 모든 주민들까지 할 말은 잃고서는 분위기가 침체되었다. 칠전팔기의 정신으로 다시 도전해 볼 만한 가치는 있으나, 도진은 그 가치를 더는 생각하지 않았다. 내부에 배신자가 더 있다는 정황을 확인하게 된 사건이기 때문이다. 그리고 그 배신자가 어쩌면 창우일 수 있다는 사실 때문에 그의 마음속은 혼란 그 자체이다.

창우가 배신자일 수도 있다는 것을 인지하게 된 계기는, 침입자들로부터 타격을 받아 쓰러졌던 한 연구원의 증언 때문이었다. 연구원들이 깨어난 후, 도진이 그들만 따로 불러 그때의 상황에 대한 조사를 시작했다.

"침입자들을 알아보기 위한 작은 단서도 없습니까?"

"네. 너무 순간적으로 일어난 일이었습니다. 다가오고 있다는 인기척조차 느끼지 못했어요."

"그렇군요."

"아, 한 가지 생각난 게 있는데요."

"뭡니까?"

"어떤 소리가 들린 즉시 그쪽으로 시선을 돌렸었습니다, 저 역시도 그 순간 당해서 정신을 잃어 다른 기억은 나지 않지만, 그러는 순간에도 한 가지 눈에 들어온 건 한 사람의 신발이었습니다."

"신발?"

"네. 신발이 금빛이었습니다."

"신발이 금빛…."

그럴 수는 없다. 모두는, 로봇들이 차지하고 있는 마을에 있었을 당시부터 현재까지 생산되고 있는 신발을 신고 있는데, 그 신발은 모두 은빛이다. 옷도 마찬가지지만 신발도 해로운 전자기장과 잡다

한 에너지 파동을 차단해주는 특수 합금 소재로 만들어져 있는데, 모두는 같은 형태의 신발을 신고 있었기 때문에 누구 한 사람만 그 색이 다를 수는 없다. 심지어 이전에는 근석과 엘라조차도 같은 신발을 신고 있었다. 물론 근석과 엘라가 이제는 다른 형태로 제작된 신발을 신고 있을 수도 있기에, 도진은 그에게 다시 물었다.

"그 모양이 어땠는지는 기억납니까?"

"얼핏 기억나는 장면으로는, 제 것과 그리고 캡틴 것과 같은 모양이었습니다."

도진의 세력이 생산한 신발이 확실하다는 의미였다.

"알겠습니다. 일단 안정이 될 때까지 편하게 쉬고 있으세요."

도진은 이 사실을 누구에게도 알리지 않고 모든 동료와 주민의 신발을 하나도 빠짐없이 살폈다. 하지만 그 누구도 다른 모양이라거나 다른 색의 신발을 신고 있지는 않았다. 그래서 혹시 신발만 따로 어딘가에 숨겨놓지 않았을까 하여 여러 방면으로 조사를 해보았지만, 금빛의 신발 따위는 찾아볼 수 없었다.

'그 당시에 받았던 충격으로 착각을 했나보군. 충분히 그럴 수 있지.'

도진은 그저 그 연구원이 착각했으리라 여겼다.

잠시 후, 도진은 생산지들을 점검하기 위해 직접 나섰다. 한 생산 시설에 도착한 도진은, 두껍지만 몸에 밀착되는 보호복과 신체 유지에 필요한 장비를 착용하고 비행선에서 내려 직접 상황을 살폈다.

그렇게 몇 군데를 살핀 후 다시 비행선을 통해 기지로 복귀한 도진은 그제야 보호복을 벗었는데, 무심코 아래를 본 그는 무척 놀라 얼어붙은 듯 움직임을 멈췄다. 그의 신발 색이 금빛으로 변해 있는 것이다. 그리고 어느 정도의 시간이 지나자, 신발에 묻어 있던 물질들이 기화되어 사라지며 다시 은빛으로 변했다.

그는 그제야 깨달았다. 생산 시설로 만들기 위해 부 포탄에 뿌려진 액체가 보호복에 닿아 화학 반응을 일으켜, 보호복 아랫단과 그 내부에 있던 신발에 영향을 주어 신발 색이 일시적 금빛으로 변한 것이다. 그 사실은 직접 생산 시설에 가본 소수의 기술원들만 알고 있다.

도진은 얼른 몸을 움직여, 비행선을 관리하고 있는 진성에게 달려가 물었다.

"7번과 10번 동료가 당하던 날, 비행선을 조종했거나 탑승했던 사람을 전부 말해봐."

"그날? 그날에는 31번하고 33번, 그리고 창우 씨가 승무원 자격으로 탑승했었지."

"창우? 창우가 왜?"

"나도 잘 몰라. 진행 상황을 점검한다고 했던 것 같은데. 그날은 모두가 많이 바쁜 날이었잖아."

도진은 31번과 33번 기술원을 직접 찾아가 물었다.

"네. 그날은 생산지 사이트 M시리즈와 N시리즈 일부를 둘러보았고, 창우 씨가 직접 내려서 확인해본 곳은…, M8번이었던가? 그랬을 겁니다."

창우가 배신자일 가능성이 90% 이상이라는 생각에 이르자, 도진은 혼란스러워졌다. 반복되는 의심 속에서도 꿋꿋하게 믿음을 주었던 친구가 배신자라니, 도진은 그 사실을 애써 부정하고 싶었고, 다른 억지스러운 증거를 찾아서라도 그를 용의 선상에서 제외하고 싶었다.

불안정한 상태인 도진은 일단, 마을을 수복하려는 계획으로부터 틀어진 지금의 이 사태부터 수습하기 위해, 직접 모두를 불러 모았다. 물론 창우도 함께이다.

"일단 남아 있는 로봇들은 다시 생산지에 풀어놓고, 추가 생산을 시작하겠습니다. 수송선은 최대한 빨리 제작을 진행해주시고, 적들이 그 수를 다시 배로 늘렸을 테니 우리도 그에 따라 생산량을 늘리겠습니다. 이 부분은 디렉터가 맡아주세요."

"그렇게 하죠."

"그리고…. 전갈은 어떻게 하면 좋겠습니까?"

도진과 그 동료들에게는, 얼마 전 적진에 투입된 전갈이 어떻게 행동을 했는지, 전투력은 어떠했는지에 대한 데이터와 자료가 하나도 없는 상태이다. 물론 상황이 종료된 후에 정찰은 했지만, 적에게 패배한 모습만 보일 뿐이었다. 하지만 적들 역시도 피해가 막심한 상태였기에 전갈의 전투력에 관심을 가지는 것이다.

도진과 디렉터는 자신들의 생각보다 많이 어긋나있는 전갈에 대한 어떤 애착을 두고 있다. 그 애착에는 각자 그럴만한 이유가 있을 것이다.

"다시 대량 생산을 해보는 방안도 괜찮을 것 같습니다."

"내 생각도 그렇습니다. 문제를 일으키지만 않는다면 적절하게 활용이 가능할 텐데, 관리를 잘해봅시다."

"알겠습니다."

"그리고, 진성이 맡아서, 다른 적이 우릴 방해하지 않도록 감시 체계를 보강해줘."

"알았어."

재정비가 시작되었다. 의외로 도진은 담담했다. 얼마 전까지만 해도 지친 기색을 보이던 것과는 달리, 그 이전 평소의 모습처럼 말하고 행동하는 것이다. 그리고 배신자로 의심 중인 창우에게도 별다른 말을 하지 않았고, 자신을 배신한 여부에 대해서는 그저 모른척했다. 아마도 그러기로 한 이유는 따로 있을 것이다.

수송선이 제작되고 있는 현장에서 도진이 창우를 만났다. 창우는 언제부턴가 수송선의 제작과 비행선의 조종 업무에 참여하고 있다.

"수송선은 크게 만들어 그 수를 줄이는 게 나을까, 아니면 작게 만들어서 그 수를 늘리는 게 나을까."

단순하게 생각하면 조삼모사 격인 도진의 그 질문에, 창우는 시시하다는 표정을 잠시 지어 보이고는 답했다.

"적의 시선을 분산시키고 요격당할 가능성을 줄이며, 다양한 전술을 구사하려면 작게 여러 개를 만드는 게 낫겠지."

도진은 애초에 그 질문에 대한 답 따위는 들을 생각이 없었다는 듯, 그 답에 대한 반응은 없이 다른 질문을 다시 던졌다.

"이 일에 회의감이 들지 않아? 당연히 옳고 모두에게 좋으리라 생각하고 하는 일인데, 적이 생겨나고 그들에게 반복해서 당하는 데다가, 승산이 정확히 계산되지 않는 일만 지속하고 있으니 말이야.“

그 질문을 들은 창우는 가만히 생각한 후에 답했다.

”나는, 회의감이 들 여유가 없어.“

그 말의 의미를 이해한 듯, 도진은 창우의 얼굴을 보며 다시 물었다.

”그래. 네가 해야 할 일은 잘되어가고 있어?“

”너도 알다시피.“

점점 둘의 태도가 바뀌어 가는 것 같다. 언제나 시큰둥한 쪽은 도진이었는데, 이제는 도진이 무언가 질문을 던지고 창우가 냉담하게 그 답을 하고 있다. 그것은 아마도, 지구를 떠나오면서부터 지금까지 계속해서 안정적이지 않은 상황에 놓여 있어서 일 것이다. 창우 역시도 감정이 있는 인간인지라 환경을 영향을 받지 않을 수 없고, 언제까지나 낙천적이고 발랄한 모습만 보일 수는 없다.

창우의 말투는 냉담했지만 표정은 평온했다. 그리고 이 순간 도진은, 얼마 전 있었던 일의 조력자가 창우임을 확신했다.

도진은 이제 무언가를 판단하기 위해, 그 근거라거나 논리 따위만을 적용하지 않는다. 그 과정에서 자신의 느낌을 우선하기로 한 것이다. 그것은 어쩌면 사물과 현상을 판단하는 데 있어, 원래부터 인간에게 주어진 강력한 생존 기능 중 하나일 것이다.

도진은 창우의 어깨에 손을 얹히고, 옅은 미소를 지으며 그에게 말했다.

”숨어 있는 쥐를 잡으려면, 그 쥐를 밖으로 꺼내야겠지.“

그리고 그의 그러한 말을 들은 창우의 눈동자가 짧게 여러 번 흔들렸다.

도진은 각종 기술 자료와 로봇 샘플 등이 저장되어 있는 기지의 최고 보안 시설로 들어가, 혼자 어떤 작업을 시작했다. 그것은 보안을 더 강화하는 것이 아닌, 오히려 특정 자료의 보안 등급을 낮추는 작업이다.

그리고 얼마 후, 도진이 텔레포트 종단 앞에 가만히 섰다. 그의 시선에는 바닥에 떨구어진 차폐막이 있다. 그것을 그저 보고만 있던 도진은 몸을 갑자기 움직여, 그 차폐판을 집어 들고는 그것으로 텔레포트의 종단을 막았다. 그리고 텔레포트가 정확하게 막혀 있는지 확인차 평소보다 더 오래 살폈다. 그는 지금 이 은거지 어디에도 창우는 없다는 사실을 알고 있다.

그 이후 어느 날, 도진은 디렉터와 함께 생산 시설을 둘러보기 위해 비행선에 올랐다. 그리고 M22로 칭하는 한 중형 생산지에 도착했다. 그곳에서는 각종 로봇들이 군집을 이루어, 곳곳에서 다양한 방법으로 다른 종을 누르고 승기를 잡기 위해 애를 쓰는 모습들이 보였다.

그때, 공중을 날아다니는 로봇 종류 중 하나가 저 멀리 날아가는 모습이 보였다. 그 로봇은 몸체의 한 부분에 외부에서 조달한 특정 자원 덩어리를 물고 있는데, 로봇 내부에서 나오는 기체가 그 자원 덩어리와 반응하면 강력한 에너지가 분출되며, 인근의 경쟁 로봇에게 손상을 입히는 공격법을 가지고 있다.

로봇들의 활동성이 좋은 편이라서, 도진과 디렉터는 보호복을 입은 채 로봇의 눈에 띄지 않는 높은 언덕에서 그 모습들을 지켜보고 있다. 생산지 곳곳에서는 여전히 액체와 기체가 뒤섞여 안으로부터 밖으로 분출되고 있어, 그 위에서 여유로운 모습으로 서 있다는 것 자체가 모순되고 위태로워 보인다.

사방의 모습을 천천히 둘러보던 도진이 먼저 말을 꺼냈다.

"일꾼이나 작업자를 쓰지도 않고, 이렇게 넓은 시설에서 로봇을 대량으로 생산할 수 있다니, 새삼 새롭군요."

"신께서 인간에게 주신 재능을 이렇게 쓰게 되는 것이지요."

둘은 처음부터 네닉 프로젝트, 즉 지구로 다가오는 위기로부터 탈출하기 위한 일을 함께해온 관계로, 여러 대화 주제를 스스럼없이 편하게 꺼내어 주고 받아왔다. 그보다는 사실, 둘은 그 이전부터 알고 지내던 사이이기 때문일 것이다.

디렉터의 그 말에 도진을 잠시 입을 다물었다가, 다시 말을 이었다.

"전갈은 상태가 어떤가요?"

현재 이 생산지에는 전갈의 표준품과 복제품 한 쌍은 없고, 그 후발 로봇들만 생산과 자가 업그레이드 활동을 하고 있다.

"지금은 어느 정도 균형이 잡혀있습니다. 수시로 상태를 확인해서 적절하게 제어하고 있는데, 역시 이 종류는 독특하긴 하죠."

그 말에 도진은 문득 원형 시험체의 존재 여부가 궁금해졌다.

"전갈의 알파 타입은 기지에 보관되어 있죠?"

알파 타입이란 연구원들에 의해 탄생한 가장 최초의 시험용 자가 성장형 로봇 원형이다. 그 원형으로 여러 가지 테스트와 수정, 개선을 거치며, 첫 번째 정식 기초 로봇 덩어리가 제작되어 생산 시설에 투입되었고, 이렇게 현재의 모습까지 발달한 것이다.

"모든 로봇의 알파 타입은 기지의 특수 보안 창고 안에 보관되어 있습니다. 전갈 종도 마찬가지죠."

"디렉터 역시도 마을을 어서 되찾고 싶은가요?"

"물론입니다. 그편이 인류의 번성에 유리하다면, 당연히 그렇지요. 아, 저기 전갈이 보이는군요."

디렉터가 팔을 들어 어느 한 곳을 가리켰고, 그곳에는 개량형 전갈 로봇 한 대가 어슬렁거리듯 이동하는 것이 보였다.

"호오…. 무리를 지어 다니는군요."

위장용 변이체에 가려 잘 보이지 않았던, 여러 로봇이 떼를 지어 이동하는 모습이 이제 막 보이기 시작했다. 그들은 한 대의 선두를 다수가 뒤따르는 대형을 갖추고 있다.

그 장면을 가만히 보던 도진이 말했다.

"개선한 효과가 나타나긴 하는군요. 갑자기 돌변할 수도 있으니 아직 안심할 단계는 아니겠죠. 저 녀석들의 고삐를 풀어놓고 그냥 두면 어떻게까지 변할지 궁금해지긴 하는군요."

"설마, 그 궁금증을 풀 생각은 아니겠지요?"

"물론, 아닙니다. 그럴만한 여유는 없잖아요. 이건 게임이 아니니까요."

굳이 디렉터가 그런 질문을 한 데에는 이유가 있다. 도진은 호기심이 발동하는 일, 특히 과학과 공학 기술에 관련된 일이라면 그 호기심을 풀어야 하는 성격을 갖고 있다. 그가 그 호기심을 풀지 않겠다고 답을 한 것은, 그만큼 지금의 상황이 좋지 않다는 것을 반증하는 것이다.

”아, 저 멀리 다른 종의 무리도 보이는군요. 이 영역이 안정적이라 그런지 이쪽으로 몰리는군요. 곧 마주칠 것 같네요. 그렇게 되면 아마, 이 지역을 차지하기 위해 서로 전투를 하겠지요?“

디렉터의 그 말을 도진이 심드렁한 말투로 받았다.

”마치, 인간 세상과도 같군요.“

그러자 디렉터 역시도 그 말을 받았다. 다만, 도진과는 다르게 발랄한 느낌의 말투이다.

”그렇지요?“

도진은 표정의 변화없이 디렉터의 얼굴을 보았다. 잠시 그러고는, 무언가 복잡한 심경이 담긴 눈빛을 하고서는 다시 그 시선을 거두었다.

그때, 마치 산 높은 곳에서 바위가 굴러떨어지듯 ‘쿠쿵’하는 소리가 몇 차례 연속해서 들려왔다. 그것은 로봇들이 승리를 위한 경쟁을 시작한 소리이다.

이 주변 지역을 차지하기 위한 전갈 무리의, 타 종에 대한 선제공격이 시작되었다. 전갈을 비롯한 몇몇 종류들은, 그렇지 않은 로봇들과는 다르게 에너지를 위장용 변이체나 자원 물질로부터 스스로 얻어야 하므로, 그것이 충분한 지역을 안정적으로 차지해야 한다.

두 무리는 격렬하게 싸웠다. 한때 전갈은 다른 종이 감히 넘보지 못할 정도로 강했었지만, 현재는 몸체가 약해진 데다가 크기도 작아져 쉽게 상대를 이길 수 없다. 그래서 무리를 지어 최선을 다해 지형지물과 전략전술을 적절히 써야 상대를 겨우 이겨낼 수 있을 수준으로, 어떤 면에서는 다운그레이드가 되었다.

물론 그것은 대량 생산을 위한 장치일 뿐, 그들의 내부에는 변태적이고 강하며 특이한 공격성이 나타날 수 있는 행동 알고리즘이 그대로 숨겨져 있긴 하다, 어떤 조건이나 신호에 의해 다시 예전처럼 되돌아갈 수 있는 것이다.

하지만 그렇다고 해서, 현재까지 업그레이드와 업데이트된 결과가 완전히 뒤집힐 수는 없기에, 만약 이전의 그런 공격성이 급격히 나타나는데 관리자들에 의해 적절히 제어되지 않는다면, 그들 내부 프로그램과 알고리즘이 엉켜 전체가 제대로 작동하지 않을 수도 있다.

도진과 디렉터는 탐색 장치를 사용해 그들의 싸움을 멀리서 지켜보았다. 그 치열했던 싸움은 전갈의 승리로 끝났다.

어느 정도 예상했던 결과에 도진이 고개를 끄덕이는 대신 놀란 이유는 따로 있다. 위장용 변이체로부터 무난히 에너지 공급을 받기 위해 그 지역을 차지한 것 같았던 전갈 무리 중 일부가, 싸움에서 진 상대 로봇의 몸체를 임의로 분해해 자신들의 에너지 공급용으로 사용하고 있는 것이다.

그 점은 아직 도진에게 보고되지 않은 내용이다. 아마 로봇의 행동이 그렇게 변화한 지 얼마 지나지 않아서 이거나, 패배자를 상대로 한 행위라서 중요하다고 생각하지 않은 연구원들이 보고를 누락한 탓일 것이다. 그러니 도진은 예상지 못한 결과이다.

그리고 특이한 점이 또 하나 발견되었다. 한바탕 싸움이 벌어지던 당시에, 싸움 현장의 중심에서 안전한 거리까지 떨어져 후방 보조만 하고 있던 전갈 개체 몇몇이, 싸움이 끝나자 유유히 현장의 중심으로 다가와 아무렇지도 않게 후속 행동에 참여하고 있는 것이다.

그 모습을 본 도진은 자신도 모르게 어떤 생각을 떠올렸다.

'저런 행동 패턴을 가진 전갈이, 저 무리 안에서도 최종 승자가 되겠군.'

전갈의 특성답게 순간적으로 치솟은 공격성으로, 선두로 달려나간 전갈은 많은 수가 상대로부터 치명타를 입어 쓰러졌지만, 반면 적당한 공격과 적당한 방어를 반복하며 그 중심에서 멀어져 있던 전갈은 대부분이 무사하다. 표면적 적극성이 떨어지는 개체가 오히려 적자생존을 한다는 다소 엉뚱한 결과로 나타나고 있다. 그것은 어떤 완성형에 가까워져 간다는 의미이기도 하다.

도진은 이대로 이 전갈이라는 로봇 종류의 대량 생산이 완료된다면, 더는 선발대로 활용할 수 없겠다는 생각이 들었다. 선발대란 기세로 밀어붙여 후발대에 길을 터주는 역할을 해야 하지만, 저대로라면 그럴 용도로 쓸 수 없기 때문이다.

드넓은 생산지의 모습을 지켜보던 디렉터가 갑자기, 보호복의 한

쪽에 끼워져 있던 한 도구함에서 둥글게 생긴 고리를 빼 들어 도진에게 보여주었다. 하지만 그러기만 할 뿐, 그는 그것을 주제로 아무런 말도 하지 않자 도진이 먼저 말을 꺼냈다.

"그것은 왜 뺀 겁니까?"

그러자 디렉터가 말없이 그 둥근 고리를 손가락으로 조물거리듯 만지더니, 그것이 어떤 다른 모양으로 변했다. 그 고리는 원래 두 개의 링이 겹쳐서 하나로 보였었는데, 그것을 펼치니 두 개의 원이 붙어 있는 모양이 된 것이다. 숫자 8을 눕혀 놓은 모양이다.

"캡틴, 이것을 자세히 보십시오."

도진은 그 펼쳐진 고리를 가만히 살펴보았다. 디렉터는 어떤 경우든 허튼 말이나 농담을 하지 않는 사람이기에, 도진은 언제나 그의 말에 귀를 기울였다.

두 개의 원이 서로 이어진 고리는 특이하다고 할 만한 게 없다. 상대가 그것을 자세히 보라고 해서 자세히 보고는 있지만, 그냥 금속으로 만들어진, 겹쳐져 있던 고리 하나를 쪼개어 펼쳐놓은 것에 불과해 보인다.

도진은 그의 행동이 어떤 의미를 담고 있는지 해석을 해보려 했지만, 디렉터가 그 수고를 덜어주기 위해 말을 건넸다.

"이것이 우리가 머무르고 있는 세상이고, 우주입니다."

그러고는, 디렉터는 자신의 검지를 세워 그 테두리를 따라 두 원의 교차점을 지나며 천천히 그었다. 그 행동이 의미하는 것은, 배신한 동료인 루크와 슌스케, 그리고 엘라가 주장하는 것과 일맥상통하는 것이다. 그러자 도진은 그 의미에 대해 알아챘다. 언제부

틴가 그 역시도, 그 철학적 의문에 집중하고 있었기 때문이다.

그 순간 도진은 어떤 한 가지 기억을 떠올렸다. 그것은 지구에서 네닉 시스템으로 탈출하던 과정에서, 디렉터의 신체 정보 데이터가 유난히 다른 사람들보다 작았다는 것이다.

도진은 디렉터의 진짜 정체가 무엇일까 궁금해졌다. 그저 자신과 오래전부터 학술적 교류를 하던 친구이자, 네닉 프로젝트의 진행 초반부터 함께한 천재 공학자일 뿐일까, 아니면 밝히지 않은 어떤 비밀을 가진 존재일까.

"캡틴, 처음에 받은 임무를 아직도 기억합니까?"

"물론입니다. 그걸 잊는다면 제가 이렇게까지 하고 있을 리가 없지요."

"그걸 해낼 수 있으리라 보십니까?"

"그것의 완수까지 최선을 다하고 있을 뿐입니다."

"캡틴, 제 말을 이해하지 못했군요. 그걸 해낼 수 있겠습니까?"

도진은 그 말의 의미를 다시 생각해보았다. 디렉터가 굳이 꺼내어 보여준 누운 8자 형태의 고리, 그리고 뜬금없이 꺼낸 임무 완수에 대한 질문.

'디렉터는 나의 지도하에 진행되는 일련의 일들이 잘못되고 있다는 말을 하고 싶은 걸까, 아니면 이 어려움을 어떻게 헤쳐나가 임무 완수를 할 것인지에 대한 답을 원하는 걸까.'

잠자코 생각에 잠겨있던 도진은 어떤 생각이 머릿속을 스쳤다.

'우리의 임무에는 정해진 일정이라는 것이 없어.'

도진이 받은 임무에는 인간의 유전체를 보전하라는 것뿐, '언제'

까지 어떤 식으로 보전하라는 내용이 빠져있는 것이다.

그 끝이 어디인지 알 수 없이 증식해 뻗어 나가는 우주 공간 구성 물질, 그에 따른 무한한 시간, 그 반면 인간에게 주어진 무한하지 않은 공간과 시간. 그 임무라는 것은 애초에 인간의 모습을 한 도진과 그의 동료들이 완전히 해낼 수 있는 것이 아니다. 한계가 보이지 않는 이 우주의 공간과 시간 안에서, 한계가 명백한 도진 스스로가 결코 이루어 낼 수 없는 임무이다.

도진은 인간의 유전체 정보를 일부 활용하여 지금의 로봇을 만든 사실을 떠올렸다.

'나의 의지가 과연, 나의 의지가 맞는 것일까.'

도진은 표정이 느슨해져 평온한 표정을 지었다, 그에게서 쉽게 볼 수 없는 표정이다. 어쩌면 처음으로 지어보는 표정일지도 모른다. 디렉터의 그 질문을 받고 그에 대한 의미를 깨달은 순간, 어떤 긴장이 풀어졌으리라 알 수 있는 부분이다. 물론 지금이 이 표정이 그리 오래가지는 못할 것은 분명하다.

어쩌면 디렉터는 도진이 가진 마음의 짐을 조금이나마 덜어주기 위해 그 질문을 던진 것은 아니었을까. 아니면, 무언가 다른 이유가 있었던 것일까.

모습을 나타낸 적

도진과 디렉터는 생산지 일부를 직접 시찰 후, 다시 기지로 복귀 중이었다. 그런데, 기지에 거의 접근했을 무렵, 생소하면서도 익숙한 비행선 하나가 나타났다. 검은 우주 공간에서 저 멀리 주포탄이 내뿜는 에너지 입자를 반사하며 희미하게 보이는 그것은, 도진이 현재 탑승하고 있는 비행선과 비슷한 모양으로 보였다.

하지만 도진의 세력이 사용하는 비행선은 아닌 것이 분명하다. 도진의 세력이 사용하는 그러한 모양의 비행선은, 현재 도진이 탑승하고 있는 그 한 대가 전부이기 때문이다. 그렇다면 그것은, 비행 선단에 포함되어 있던 비행선 중 하나라는 의미이다. 그리고, 도진의 은거지가 근석 또는 엘라에게 발각되었다는 의미이기도 하다.

도진과 디렉터는 그 비행선을 보자마자 속도를 급히 줄여 멈추었다. 그리고는 가만히 그것을 지켜보다가 도진이 말했다.

"당장 맞서야 할 적이 늘었군요."

마치 등굣길에 동네 떠돌이 개를 마주친 것만 같은 말투이다. 그의 태도에는 그 어떤 긴장감도 녹아들어 있지 않다. 그리고 디렉터 역시도 여유 있는 태도로 그 말을 받았다. 둘이 보이는 여유로움은 그 이유가 각각 다르다.

"기지로 연락을 해서 방어 준비를 하라고 하겠습니다."

"그러시죠. 다만, 지시가 있을 때까지 공격은 하지 말라고 해주세요."

도진은 비행선의 출력을 서서히 올려 상대 비행선의 가까이 다가갔다. 그러자 마치 탐색을 하듯 이동하던 상대 비행선이, 마치 도진의 비행선이 다가옴을 기다리기라도 하듯 가만히 멈추었다.

오래지 않아 비행선 둘은 가까운 거리를 두고 정면으로 마주보았다. 도진의 비행선에는 원거리 공격체가 실려 있고, 상대에게도 분명 공격용 무기가 실려 있을 것이다. 하지만 둘 다 아무런 행동도 하지 않는다.

그러던 중, 갑자기 상대 비행선의 창문들에서 빛이 동시에 켜지더니 다시 동시에 꺼지기를 반복했다. 몇 번 그러더니, 이제는 제각각인 주기를 가지고 그 빛이 켜지고 꺼졌다. 모스 부호이다.

도진과 디렉터는 그것을 가만히 지켜보았다. 상대가 보낸 그 뜻은 '준비하라.'이다. 그러고는 상대 비행선은 곧장 머리를 다른 방향으로 틀더니 빠르게 어딘가로 날아갔다.

상대 비행선에 탑승하고 있던 누군가의 정체는 창우였다. 그리고 도진 역시도 그 사실을 눈치챘다. 창우가 어떤 식으로든 적의 편에서 이렇게 나타나리라는 것을 이미 알고 있던 것이다.

도진은 창우는 믿었다. 그가 몰래 적에게 조력하여 중요한 기술 자료를 드러냈을 때도, 텔레포트를 통해 어딘가로 사라졌을 때도, 도진은 창우가 자신을 해롭게 하지 않으리라는 것을 믿었다. 어떤 현상이든 논리적인 근거가 없다면 절대로 수용하지 않는 도진이, 어린 시설 또래 아이들에게 따돌림을 당하고, 이 일을 함께 이룬 동료들 몇몇으로부터 배신을 당하기까지 한 도진이, 이상한 행동을 하는 창우를 믿은 것이다.

언제부턴가 도진은 자신이 스스로 만들어낸 판단이 아닌, 의도치 않게 몸에서 나타나는 순간순간의 그 느낌을 채택했다. 즉, 자신이 태어날 때부터 장착되어 있던 그 기능을 우선하는 것이다. 그리고 최근 나타난 그 느낌은, '창우는 믿을 수 있는 사람.'이다.

사실, 그를 배신한 그의 동료들로부터도 수시로 부정적인 느낌을 받았었으나, 그는 이성이라는 방패로 억지스럽게 그것을 막았다. 그저 이성과 논리가 중요하다고 생각한 탓에, 그리고 애써 그 느낌을 무시한 탓에, 후에 다가올 큰 사태를 미리 막지 못한 것이다.

창우가 텔레포트로 사라진 후 도진이 그 종단을 차단한 것도 그를 위해서였다. 창우는 배신을 한 것이 아니라, 배신을 하려는 척한 것이다. 그것을 느낌으로 알아챈 도진이 그렇게 텔레포트를 차단해두어야, 적이 창우의 속임수를 끝까지 의심하지 않을 것이다.

결국, 창우는 그렇게 행동을 함으로써 자신의 아내와 아이를 만나 바람을 이룰 수 있었고, 적을 밖으로 끌어내 도진의 세력에게 도움을 주려고 시도했다. 사실, 애초에 적과 접선을 하지 않았다면 더 좋았겠지만, 창우가 그의 아내와 아이를 만나겠다는 개인적인 목표를 언제까지나 무시할 수는 없었을 테니, 어쩌면 이러한 방법이 모두에게 최선일 지도 모른다.

기지와 그 주변이 분주해지기 시작했다. 그동안 준비해두었던 모든 공격체를 활동 모드로 전환시켰고, 방호 에너지장도 기지가 머무는 포탄 전체에 수 겹으로 둘렀다.

그리고 곧, 약속이라도 한 듯 적의 비행선들이 나타났다. 그 수는 약 200대이다. 많다면 많고, 적다면 적은 수인데, 아마도 상대는 그 정도 수만으로도 충분히 도진의 세력을 제압할 수 있으리라 판단했을 것이다.

한바탕 전투가 시작되었다. 상대는 근석일까, 엘라일까. 자신을 당당하게 노출해 나타났으며, 주민들을 향한 직접적인 공격없이 건물과 시설들만 정밀 타격하려는 것으로 봐서는 근석이 확실해 보인다. 근석은 아직도 왕국을 꾸리겠다는 욕심을 버리지 않은 것이다. 그런데, 그의 그런 점이 패착을 둔 셈이다.

도진의 세력이 머무는 기지의 정작 중요하고 위험한 시설은 피해 공격을 퍼붓던 적의 선두는, 도진 세력의 역공에 하나둘 파괴되어갔다. 하지만 도진 측의 피해도 막심해져 가고 있다. 그리고 그때, 파괴되어가는 적의 전함들 뒤편에 꼼짝없이 떠 있는 두 대의 비행선이 보였다.

'저 둘 중 하나에 근석이 있겠군.'

도진은 지금 여기에서 적들을 끝장내지 않으면, 마을을 되찾으려는 시도 역시도 제대로 이어질 수 없겠다고 느꼈다. 그래서 도진은 총공격을 지시했다.

만약을 대비해 생산지들에 숨겨 둔 각종 원거리 무기가 일제히 발사 준비 대형을 갖추었고, 곧 그것들이 적의 전함을 향해 쏘아졌다. 그런데 사실, 도진은 써서는 안 될 방법을 쓴 것이다.

그렇게 되면 로봇 생산지가 적에게 노출된다. 아직 생산지의 정확한 위치는 외부의 누구에게도 들키지 않았을 것이다. 현재 적들이 로봇 생산지에는 얼씬도 하지 않는다는 점이, 아직 최소한 로봇 생산지의 위치는 들키지 않은 상태라는 근거이다. 생산 시설이 있다는 것을 들키는 것도 그렇거니와, 그 정확한 위치를 들킨다는 것 자체가 더 큰 일을 만드는 것이다.

물론 적의 수장을 이 한 번의 전투로 제거한다면 그럴 걱정은 없겠지만, 만약 그렇지 못한다면 다음에는 생산지들이 적의 1차 목표가 될 것은 뻔한 일이다. 그렇기에, 도진이 생산지의 위치까지 노출해가며 모든 무기를 이번 공격에 쓴 것은, 이번 한 번에 모든 것을 걸겠다는 의미이다.

온 사방에서 갑자기 날아드는 공격체에 적의 전함들은 계속해서 무너져갔다. 근석이 끌고 온 200여 대의 전함은 애초에 도진의 세력을 이길 수 없던 것이다.

그러자 본 기지를 향해 공격을 감행하던 몇몇 적의 전함이 로봇 생산지로 그 머리를 돌려, 원거리 무기들이 발사되고 있는 각 생산지를 향해 공격을 시작했다. 아마 적의 각 적함 안에는 인조인간들이 조종대를 잡고 있을 것이다. 그렇기에, 프로그램된 대로 공격이 시작된 지점을 찾아가는 것이 틀림없다.

도진의 본 기지를 집중해서 공격하던 적의 전함들이 분산되었다. 즉, 도진의 세력에게 유리한 상황이다. 그리고, 오래지 않아 적의 전함은 저 멀리서 머무르고 있던 두 대를 제외하고는 모두 소탕되었다.

하지만, 도진 세력의 피해도 만만치 않다. 기지는 물론이거니와, 일부 생산 시설도 크고 작은 피해를 입어 온전하지 않은 상태가 되었고, 재건하는데 꽤 시일이 걸릴 것으로 보인다. 그중 몇몇은 재건이라기보다는 새로운 생산지, 즉 다시 안정적인 부 포탄을 발굴해 옮겨야 할 정도가 되었다.

한 비행선에 탑승 중인 진성이, 저 멀리 떨어진 채 남아 있던 두 적선을 쫓았다. 그러자 갑자기, 그중 한 대의 적선에서 녹색 빛이 어른거리기 시작했다. 그것은 공간 수축 기술을 사용할 때 나타나는 특징 중 하나이다.

"파괴하지 말고 내부로 침투해. 창우가 그곳에 있다면 구출해야 해!"

도진의 지시에 진성과 아군 전함 3대는 최대 출력으로 목표물에 다가가기 시작했다. 그리고 그들이 달아나기 전에, 상대 비행선의 주 엔진을 파괴해 전진하지 못하도록 붙잡았다.

그 후 상대 비행선의 구조를 뻔하게 알고 있는 진성과 공격 대원들은, 그 둘 중 한 대의 비행선 내부로 들어가는 게이트를 강제로 열었고, 그 안으로 로봇들을 침투시켰다. 현재 이 임무에 투입된 로봇은 표범 종이다. 현재 생산된 로봇 중에서는 가장 성능과 기능의 균형이 잘 잡혀있는 종류이다.

적함으로 투입된 로봇들은 구석구석을 다니며 움직이는 물체, 그리고 생명 신호가 있는 유기체를 찾아 공격하기 시작했다. 하지만, 만약 창우가 이곳에 있다면 그 역시도 로봇에게 당할 수가 있다. 그렇게 되면 도진이 지시한 것을 따를 수 없게 되는 것이다.

하지만 창우는 안전하게 구출될 확률이 높다. 현재 투입된 로봇들에는 도진과 그의 동료, 그리고 주민들의 생체 정보가 입력되어, 그들에게는 공격을 가하지 않도록 프로그램되어 있다. 인간의 기준에서 가장 다루기 쉽고, 안정적인 종류의 로봇인 표범이 투입된 이유가 바로 그런 점 때문이다.

그 한 대에는 모두 인조인간들만 탑승하고 있었다. 인조인간들은 몸체 자체는 인간보다 훨씬 강하게 제작되었지만, 공격이나 방어 기술 따위는 많이 부족했기에 도진의 로봇들에게 쉽게 제압되었다.

근석과 창우 모두 이 비행선 안에 없다는 것을 알게 된 진성과 공격 대원들은 곧장, 남아 있는 다른 적선 안으로 로봇을 투입시켰다. 그리고 이번에는 곧바로 진성과 공격 대원들이 로봇들의 뒤를 따라 그 내부로 함께 들어갔다.

내부는 조명등이 모두 다 꺼져 있다. 하지만 그 행위는 적들의 은신과 방어에 아무런 도움이 되지 않았다. 로봇들은 어두운 곳에서도 작전 수행이 가능하도록 설계되었고 생체 신호와 움직임을 감지하는 감각이 뛰어났기 때문에, 아주 쉽게 인조인간들을 모두 제압하고 근석까지도 찾아냈다.

근석은 그의 몸집에 어울리지 않게 조종실 구석의 작은 물품 보관함 안에 몸을 잔뜩 구긴 채 숨어 있었다. 이곳에는 근석과 인조인간들 외에는 아무도 있지 않다. 근석은 도진의 세력을 아주 쉽게 이길 수 있으리라 생각한 모양이다. 아마도 빠르게 도진의 세력을 누르고, 모든 시설을 파괴한 후에 귀가한다는 계획을 가지고 있었을 것이다.

근석은 결박되어 도진 세력의 본 기지로 이송되었고, 적선은 모두 파괴되었다. 의외로 시시하게 마무리된 도진의 승리로, 하나의 전쟁이 끝이 났다.

도진의 세력이 정착하고 있는 기지로 끌려온 근석은 얼굴은 잿빛이 되어있다. 현재, 기지의 건물과 시설물들은 근석이 끌고 온 전함들로 의해 약 70% 정도가 무너졌고, 공격을 받은 충격으로 인해, 머무르고 있는 포탄의 안정성이 떨어져 표면의 흔들림 빈도와 세기가 이전보다 훨씬 높아져 있다. 이곳을 버리고 새로운 터전을 다시 찾으러 떠나야 할 정도가 되어버린 것이다.

하지만 도진은 하나의 전쟁을 끝냈다는 결과에, 여유로운 몸짓으로 근석에게 다가갔다.

”당신이 졌군.“

그 말에 근석은 아무런 말도 하지 못했다. 잿빛이던 그의 얼굴이 도진의 말에 빨갛게 달아올랐고, 몸을 약간 떨기 시작했다. 그것은 두려움으로 인한 신체 반응일 것이다. 그리고, 이전 같았으면 진성이 나서서 상대에게 타격을 가할 만도 했지만, 이번에는 그러지 않았다. 도진이 그런 행동을 하지 못하도록 했기 때문이다.

도진이 선량한 마음을 가졌다거나, 또는 더 이상의 피해자가 없도록 하기 위한 대의적인 생각으로 진성의 그런 행동을 저지한 것이 아니었다. 그것은 진성을 위해서였다. 뒤늦게나마, 진성의 그런 행동이 다음에 언젠가 인과응보가 되지 않도록 하기 위함이었다.

아무 말도 하지 않고 무릎을 꿇은 채 결박되어 있던 근석이, 여전히 빨개진 얼굴로 도진의 그 말을 받았다.

"나 하나 이렇게 잡아봤자 당신에게 무슨 소용이 있을까?"

"소용? 직면한 위협 중 하나를 없앴다는 유용한 결과를 낳았지."

"당신은 그저 시간만 번 것뿐이야."

"그 의미를 정확히 말해봐."

"엘라, 엘라 그 여자는 밤에만 기어나오는 벌레 같아. 당신이 모르게, 당신이 가진 것들을 이용해서 원하는 것을 이룰 거야. 나를 풀어서 보내줘. 그러면 내가 당신에게 협조하지."

"협조라…. 당신을 무사히 보내준다면 더 힘들어질 것 같다는 예감이 드는 건 왜일까."

"나를 이용해. 날 이용해서 엘라를 잡아. 나와 손을 잡으면 엘라는 물론이고, 당신들이 만든 무시무시한 괴물 로봇들도 없애버릴 수 있어."

"당신의 능력을 겪어보니, 그럴 가능성은 없을 것 같군."

"난 아직 나의 능력을 다 펼치지도 않았어. 내가 할 수 있는 건 아직 많이 남아 있다고. 우리 힘을 합쳐 평화를 이루는 거야. 어때?"

근석은 비굴한 태도로 도진에게 빌듯 말했다. 그도 이제 재기할 수 없다는 것을 느낀 탓일 것이다.

"한 가지만 묻지. 창우는…. 그의 아내와 아이를 만났나? 모두 무사한가?"

"물론이야. 창우와 예은, 아니, 그의 아내와 아이는 다른 비행선 안에 무사히 잘 있어."

"그래? 그럼 됐어."

"됐다니…?"

도진은 근석이 계속해서 던지는 비굴한 말들에 아랑곳하지 않고 그에게 등을 보였다. 그리고 근석은 곧장 비행선 안의 어느 방에 갇혔다. 몸의 결박은 풀렸으나, 그 방은 감옥과 같아서 맨손으로 빠져나오는 것은 불가능에 가깝다.

도진은 애써 창우를 찾으려 하지 않았다. 어쩌면 그것이, 도진이 창우에게 주는 선물일지도 모른다. 큰 위협 중 하나를 제거했지만, 아직 마을의 로봇과 엘라라는 두 가지, 아니, 어쩌면 그 이상일 수도 있는 위협이 남아 있으므로, 그 나머지를 제거할 때까지는 계속해서 각종 전투와 그로 인한 반복된 위기에 직면할 것이다. 그러면 이곳에서 머무르는 것보다, 차라리 당분간은 어디인지 알지 못하는 외딴곳에서 가족들과 머무는 편이 훨씬 낫다. 그리고 분명 창우도 그것을 원할 것이다.

도진은 먼저, 망가진 생산 시설의 재건에 박차를 가했다. 이 승리의 여운을 다시 투자하여 다음의 전투에서도 이어가야 한다. 그렇게 하려면 다음 전투까지의 기간을 최대한 좁힐 필요가 있다. 그래서 그는 공격을 받아 엉망이 된 생산지에 전투 로봇들을 투입해 재건 작업을 하기로 했다.

일단은 근석의 공격에 파괴되지 않고 멀쩡한 로봇들을 활용해야 했지만, 만약을 대비해 그들 전부를 전투용에서 작업용으로 전환할 수는 없었다. 그래서 일단 속성으로 로봇 하드웨어만 필요한 만큼 급히 제작했다. 그리고 현재 몸체는 파괴되어 없지만 중앙통제시스템에 축적되어 있는 해당 로봇들의 개별 데이터를, 속성으로 제작한 로봇에 각각 심어 활용하기로 했다.

도진과 연구원들은 현재 남아 있는 로봇과 파손되어 사용하지 못하는 로봇의 활동 이력과 행동 패턴을 담은 개별 데이터를 모두 분석했고, 그렇게 하여 그들을 세 부류로 나누었다.

우선 성능과 기능의 균형이 잘 잡혀있고, 행동 패턴이 안정적이며, 자가증식 프로그램에 따른 생산 활동에도 문제가 없어, 당분간은 별도 관리를 하지 않아도 될 개체들부터 그룹을 지었다. 그 그룹은 여러 포탄들이 재건될 동안 에너지 공급원이 풍부한 생산지로 이동되어, 당분간은 타 종과의 경쟁에 참여하지 않은 채 여유롭게 자체 생산 활동에만 집중하면 된다. 그들의 입장에서는 낙원으로 이동하는 셈이다.

게다가 도진의 세력을 바로 곁에서 보호하는, 상시 경쟁과 생산에 참여하지 않아도 되는 호위대를 이 그룹에서 선정할 예정이다. 그야말로 로봇으로서는 최고의 대우를 받는 셈이다. 그리고 이 그룹에는 1급이라는 구분 명칭이 붙었다.

그리고 두 번째 2급으로는, 아직 애초 목적을 기준으로 한 완성형에 도달하지 못한 개체들을 그룹으로 나누었다. 어느 정도는 목표한 바에 가까워지고 있으나, 아직 불안정한 로봇들이다. 그들은 기존대로, 생산 시설의 재건 중에도 지속해서 경쟁 시스템에 참여하며 생산과 업데이트, 업그레이드를 반복해야 한다.

그리고 마지막 세 번째 3급은, 동족 또는 그들의 통제를 위해 필요한 시설물들을 향해 공격성을 보였거나, 어떤 식으로든 애초 목적에 반하는 행동을 지속하거나, 전반적인 행동 패턴과 기능의 균형이 떨어지는 개체들이 포함되었다. 이들은 일단 생산지 재건과 새로운 생산 시설을 일구는 활동에 투입될 예정이다. 그리고 그것은 로봇의 입장에서는 가장 고되고 힘든 일이 될 것이다.

생산지를 재건하는 일은, 불안정한 포탄 내부에서 치솟는 각종 유해 물질과 열악한 환경을 견뎌야 하고, 넉넉하지 않은 에너지 공급원으로 움직임을 지속하며 작업을 해야 한다. 그것은 곧 전투 로봇으로 복귀하지 못하고 아주 오랫동안 열악한 환경의 포탄 위에서 지내야 할지도 모른다는 뜻이기도 하다. 즉, 도진으로서는 일종의 버리는 카드인 셈인데, 엄밀히 따지면 버려지지는 않는다.

각 로봇 개체는 첫 활동이 시작되면서부터 그 데이터가 중앙통제시스템에 축적되며, 경우에 따라 그것이 그대로 다음으로 이어진다. 즉, 로봇 몸체인 하드웨어가 완전히 망가져도, 해당 데이터는 기지 내부의 중앙통제시스템 내부에 저장되어 있어서, 새로운 하드웨어가 생성되면 이전 하드웨어에 대한 ID와 개별 설정값을 제외하고 그동안 축적된 활동 정보가 새로운 로봇에게 그대로 이전되는 것이다. 그래서 로봇은 파괴되어도 실제로는 완전한 파괴가 아니다.

다만, 더는 필요하지 않을 경우는 중앙통제시스템의 모든 로봇 개체의 데이터가 삭제될 것이다. 그 필요하지 않을 경우란, 마을의 로봇들을 완전히 제압하였다거나 또는 그 반대로 적에게 완전히 당할 경우를 의미한다.

큰 적 하나를 제압했음에도 도진의 세력은 여유를 가질 수 없다. 하지만 전반적으로 자신감이 올라갔다.

그렇게 시간이 흘러 안정을 되찾아가고 있을 때, 이상한 일이 또 발생했다. 정체불명의 비행체가 생산 시설을 오간다는 보고가 몇몇 관리 로봇들로부터 일제히 기지로 들어온 것이다. 그 비행체는 분명 아군의 것은 아니다.

'근석은 이곳에 잡혀있는데. 그렇다면 창우? 아니야, 창우가 굳이 그럴 리가 없잖아. 공격적인 움직임이 아니라면, 창우가 맞는 건가? 잠깐, 혹시 엘라? 엘라라면, 무언가 허점을 노리고 움직이는 것일 테니 이건 굉장히 위험한 신호인데. 그것도 아니면 설마, 마을 로봇의 정찰기가 도착한 건가?'

도진은 급히 디렉터와 진성을 불러, 이 상황을 정확히 확인하기 위해 현장으로 급파했다. 그리고 연구 기술진이 모두 달라붙어 파악한 상황은 정말 뜻밖이다. 그 결론에 도진이 잠시 아무런 말도 하지 못했을 정도이다.

그 비행선은 도진의 전투 로봇들, 정확하게는 M23번 생산지에 머물던 2급 전갈의 일부 무리가, 생산지 위에 추락해 있던 근석의 비행선을 탈출에 사용한 것이다. 아마도 비행선이 크게 파손되지 않아 정상적으로 가동이 되었을 것이다. 그렇다고는 해도, 그들이 비행선의 개념과 작동 방법을 알아냈다는 사실 자체가 굉장히 놀라운 것이다.

그들은 관리 로봇의 눈을 피해 비행선을 작동시킨 데다가, 심지어 그 후에 관리 로봇을 공격해 제거했다. 평상시 숨어 있는 관리 로봇을 굳이 찾아내어 제거했다는 것은 특이한 일이 분명하다. 관리 로봇이 없으니, 정작 해당 생산지에서 일어난 일이 적시에 보고되지 않은 것이다.

그렇게 도진과 그의 동료들이 가장 경계하는 일이 다시 시작되었다. 그리고 갑자기 또 다른 보고가 들어왔다.

"생산지 사이트 J3와 M7, M10의 관리 로봇들이 비행체에 의해 파괴되었고, 그것을 감지한 J3 중계기가 먼저 프로그램대로 비행체를 타격하여 상대 비행체의 일부를 손상시켰지만, 해당 비행체는 그 즉시 달아났습니다. 현재 진성과 디렉터가 추적중입니다."

탈출한 로봇들은 그 장면 그대로의 표현으로, 날뛰고 있다. 그들은 인근의 생산지들에 접근하여 중계기들을 교묘하게 피해, 관리 로봇은 물론이거니와 그곳에 있는 로봇들을 위협하거나 붙잡아 에너지원으로 삼는 등 난폭한 행동을 했다. 그들의 행동은 정교하지 않았다. 마치 어린아이가 격한 움직임으로 장난감을 가지고 노는 것처럼 보인다.

정말 놀라운 일이다. 전갈은 당연히 인공지능 수준을 어느 정도 갖추고 있지만, 그 정도의 일을 할 수준은 결코 아니다. 그렇다면, 그 종이 초반에 그랬던 것처럼 갑자기 예상치 못한 변종이 탄생했거나, 또는 외부의 개입이 있다고 볼 수밖에 없다.

도진은 탈출한 로봇들의 추적은 진성과 디렉터에게 맡기고, 지금 이 일을 일으킨 M23 생산지의 전갈 종에 대한 모든 분석 데이터를 확인하기 시작했다.

"행동 데이터로는 모두 정상인데, 어째서 이런 일이 일어난 겁니까?"

그 일을 담당한 연구원이, 도진이 냉담한 말투로 던진 질문에 답을 하기 시작했다.

"분명히 이상한 조짐은 없었습니다. 제 생각엔 우리의 관리 범위 안에 들어있지 않았던 내부의 어떤 프로세스가 원인이 아닐까 생각합니다. 관리 중인 모든 설정값과 프로세스, 행동 알고리즘 업데이트 사항은 안정 범위 안에 들지만, 우리가 제어하고 확인하는 부분이 아닌, 다른 무언가가 영향을 준 것 같습니다. 그 부분은 로봇을 회수하여 직접 확인해봐야 할 것 같습니다."

지금 문제를 일으키고 있는 그 로봇들은, 기본 관리 항목인 공격성과 방어성, 에너지 활용도, 활동력, 생산성 등의 기능과 수치는 그 일이 일어나기 직전까지도 허용 범위 안에 있었다. 그렇다면 연구원의 의견대로, 관리되지 못하고 있던 어떤 내부의 프로그램이 영향을 주었거나, 또는 로봇들이 매우 지능적으로 작동해 스스로 자신들에게 어떤 작업을 했거나, 그것도 아니라면 누군가가 가짜 데이터를 중앙통제시스템에 강제로 입력을 시켰다거나 하는 추정을 해볼 수 있다. 어쨌든, 그 정확한 원인은 현재로서는 알 수가 없는 상태이다.

잠시 후, 진성으로부터 연락이 왔다.

"목표에 근접해 있습니다. 투시 장비로 확인해보니, 현재 목표물 안에는 위장용 변이체와 파손된 로봇으로 보이는 물건이 잔뜩 실려 있고, 비행체의 앞부분에 전갈들이 있는 것 같습니다. 움직임이 나타납니다."

"위장용 변이체와 파손된 로봇의 몸체? 그렇다면 정말로, 탈출해서 어딘가로 도망가려는 속셈이군. 그런데, 왜 탈출을 시도한 것일까…. 그런 판단은 할 수가 없을 텐데."

말썽을 부리는 로봇들은 자신들의 에너지 공급원을 잔뜩 가지고 어딘가로 향하고 있다.

"어떻게 할까요? 비행체 내부가 여러 가지 물체들로 가득 차 있어서, 도킹으로 내부 침투는 어려울 것 같습니다."

"목표물 제거하세요."

"알겠습니다."

전갈 무리가 탑승해 있던 비행체는 진성과 디렉터에 의해 제거되었다. 그 내부의 전갈들은 나름의 공격 의사를 보였지만, 그들의 제작자인, 그리고 산전수전을 겪은 노련한 진성과 디렉터를 이길 수 없었다.

그들의 이상 행동에 대한 근본 원인을 파악하기 위해서는 그들을 원 형태 그대로 회수하여야 했으나, 도진은 제거를 지시했다. 아마 제2의 마을의 로봇 같은 사태가 일어나지 않도록 하기 위한 판단이었을 것이다. 그들은 에너지원과 적절한 물질만 있다면 어디서든 자가 생산과 증식을 할 수 있는 종류의 로봇이었기 때문이다.

도진과 그의 동료들이 바빠졌다. 전갈의 이상 행동을 분석하기 위해 시간을 낭비하는 것보다, 얼른 마을의 로봇들을 제거하고, 마을을 되찾는 것에 집중하기로 했다. 하지만, 그저 없던 일로 치부해서는 안 된다는 의견이 연구 기술원들로부터 다수 나왔다.

그래서 내린 결론은, 모든 로봇의 수명을 조절하고, 자가 치유 기능의 수준을 낮추는 것이다. 현재 로봇들은 적절한 에너지 공급원이 있고 적절한 환경에만 두어진다면, 도진의 세력이 힘을 행사하지 않는 한 무한에 가깝게 그 활동이 유지될 수 있다.

그래서 적절한 시기에 로봇 스스로가 에너지 물질로 회귀하도록 설계와 프로그램을 변경했다. 로봇 개체가 에너지 물질로 회귀하더라도 축적된 개별 데이터가 중앙통제시스템에 저장되어 있으므로, 그 데이터를 안정적인 형태로 가공해 후발 생성 로봇에게 자동 주입되도록 하면 된다.

그리고 몸집이 크고 공격성 수치를 평균 이상 갖추고 있는 로봇들에게는 자가 치유 기능의 수준을 대폭 줄였다. 몸체를 더 약하게 만드는 것이다. 그 대신, 인공지능으로 대표되는 연산력과 각종 알고리즘의 수준을 높이고, 스스로 위장용 변이체에 속한 특정 성분을 합성 및 이용하여 자가 치유의 속도를 조금이나마 높일 수 있도록 했다.

그리고 혹시 어떤 방법을 사용해 로봇들이 생산지를 박차고 탈출하는 일이 벌어지지 않도록, 각 생산지에 얇은 에너지막 여러 겹을 추가로 둘러 로봇에게 해로운 기체를 거기에 가두어두었다. 그러므로 이제 로봇들은 특별한 방법을 사용하지 않는 이상 그 자체로는 생산지를 쉽게 빠져나오지 못한다.

또한, 그들과 똑같이 생긴 감시 로봇을 모든 생산지에 투입했다. 감시 로봇이란, 로봇들이 기본 프로그램과 목적에서 크게 벗어나는 행동을 하거나 그런 알고리즘이 생성되지 않도록, 수시로 관찰하고 교정하는 역할을 한다. 중앙통제시스템으로 모든 로봇 개체를 원격 관리하고는 있으나, 여러 가지 이유로 수집된 데이터가 현실을 반영하지 않을 수도 있으니 그것을 조금이나마 보완하기 위해서이다. 물론, 제작자가 보낸 별도의 로봇이라는 것을 그들이 알아서는 안 되므로, 관찰과 교정을 한다는 것도 눈치채지 못하게 해야 한다.

감시 로봇이 교정 로봇과 다른 점은, 교정 로봇은 인간이 직접 그 움직임을 원격으로 제어하는 방식이지만, 감시 로봇은 인공지능이 탑재되어 프로그램된 대로 움직이는 방식이다. 감시 로봇은 생산 활동이나 자체 업그레이드 따위는 하지 않게 되어있다. 그저 전투 로봇들의 행동을 감시하며, 필요할 때마다 적절한 영향을 주는 역할을 하는 것이다.

만약 그럼에도, 전투 로봇이 도진의 세력에게 도전한다고 여겨질 정도로 심각한 문제를 일으킨다면, 그 개체는 몸체가 에너지 물질로 회귀 됨과 동시에 그 개별 활동 데이터가 교정 시뮬레이터로 넘겨진다.

교정 시뮬레이터란, 실제 로봇의 몸체를 두고 감시나 교정 로봇

등이 그 내부 프로그램과 설정값을 간접적으로 조정하는 것이 아닌, 표현 그대로 로봇 개체의 데이터가 저장된 시스템에서 가상으로 그 프로그램과 설정값을 교정하는 것이다. 그러면 그 행동 프로그램이 정상으로 교정될 때까지 지속하는데, 로봇으로서는 몸체가 없더라도 여전히 가상의 공간에서 활동하는 셈이 된다.

그것은, 일차적으로는 감히 제작자에게 덤벼든 행위에 대한 벌이고, 이차적으로는 하지 않도록 프로그램된 것을 스스로 지속해서 바꾸려 하는 행위에 대한 대책이다.

차라리 그런 종류의 로봇 자체를 완전히 폐기해도 무방하나, 막바지로 치닫고 있는 이 계획의 진행을 고려해 굳이 그러지 않는 것이다. 축적된 모든 로봇의 활동 데이터와 각 로봇의 개성은 지금의 프로젝트에 꼭 필요하고, 다른 목적의 로봇을 개발하는 데도 충분히 활용할 수 있다.

정체불명의 로봇

그렇게 시간은 흘렀고, 모든 생산 시설은 안정적으로 유지되고 있다. 골칫거리인 전갈도 연구 기술원들의 통제에 따라 계획대로 그 역할을 하는 중이다. 그렇다고는 해도, 전갈의 자가 기능 업그레이드 과정에서 종종 발생했던 예상치 못한 문제의 원인은 아직 밝혀지지 않은 상태이다. 어쨌든, 어떻게든 제 기능을 갖추고 적진에 투입만 하면 되므로, 지금으로서는 당장 꼭 풀어야 하는 문제는 아니다.

마을의 적들을 향한 네 번째 공격 시점이 다가왔다. 수송선은 그 크기를 줄여 모두 50대가 제작되었다. 결전의 그 날은 지구에서의 시간 개념 기준으로 5일 후로, 곧 전투 로봇들이 수송선에 실릴 예정이다.

마을의 상황을 정찰한 결과, 이전과 그리고 예상과 특별히 다르지는 않다. 마을을 자치한 로봇의 수는 이전 공격 대비 2배 이상

늘어있고, 도진의 은거지를 찾기 위한 그들의 비행체와 온갖 장치들이 우주 공간을 휘젓는 것도 포착되었다. 물론 마을의 방어력 또한 이전보다 한층 수준이 높아 보였다. 여전히 그 방어 시설들의 정확한 용도와 작동 메커니즘은 알 수 없지만, 대략적인 형태로만 봐도 강력해 보였다.

도진은 마음을 놓았다. 승리에 대한 기대도, 패배에 대해 염려도 하지 않는다. 최선을 다하고 그 결과를 받아들이기로 했다. 다만, 이번 공격에서 실패한다면, 지금의 방책은 완전히 폐기하고 새로운 방안을 찾아볼 것이다.

꼬리가 길면 밟히는 법이니, 계속해서 같은 방법을 사용하다 보면 적들이 도진 세력의 은신처를 찾아낼 수도 있다. 그것이 가능하다고 생각하는 이유는, 그들에게는 기술 로봇이라는 완전한 지능형 로봇이 있기 때문이다. 그래서, 자가증식과 자가발전형 로봇으로의 공격법은 이번이 마지막이라고 봐야 한다.

모두가 각자의 일을 하고 있을 때, 도진이 담담한 말투로 디렉터에게 말했다.

"진행 상황은 디렉터가 대신 챙겨봐 주세요. 난 생산 현장을 둘러보고 오겠습니다."

"혼자 가십니까?"

"다들 바쁘잖아요. 혼자 다녀오는 편이 낫죠."

"네. 그런데, 지금 같은 때 굳이 직접 생산지 점검을 할 필요가 있겠습니까. 보고 내용과 실시간 데이터로 봐서는 모두 안정적이지 않습니까."

"지금까지 우린 데이터라는 것에 계속해서 속아 왔잖아요. 아시다시피, 저 로봇들에게 거는 기대는 이번이 마지막이니, 제대로 확인을 해보려 합니다. 확인은 하면 할수록 좋은 법이니까요."

"틀린 말은 아니군요. 알겠습니다. 캡틴의 일은 제가 맡고 있을 테니 다녀오시죠."

도진은 소형 비행선에 올라, 먼저 가장 가까운 로봇 생산지로 향했다. 소형 비행선이라고는 하지만, 그 크기는 지구에서의 장거리용 민간 여객 항공기의 3배 정도는 된다.

로봇 생산지 자체는 포탄의 표면이므로, 그 환경이 제각각이다. 그래서 도진이 혼자 일일이 안전한 지대를 찾아가며 표면에 안착하여 살펴보는 것은 시간이 많이 소요되므로, 일부 생산지는 공중에서 확대 장치를 통해 살펴보는 것으로 대신했다.

도진이 탑승한 비행선이 생산지에 나타나자, 로봇들 다수가 관심을 보였다. 하지만 그 후의 반응은 개체별로 달랐다. 방어 우세성을 가진 어떤 무리는 비행선을 보고는 재빨리 몸을 숨겼고, 어떤 무리는 신중하게 탐색하는 행동을 보였고, 어떤 무리는 공격 태세를 갖추었다.

그들의 반응이 제각각인 이유는, 그들의 내부 데이터에 비행선에 대한 정보가 없기 때문이다. 대신 마을의 적 로봇에 대한 기본적인 정보는 입력되어 있으므로, 마을에 투입됨과 동시에 마을 로봇에게는 즉시 적대적으로 대응할 것이다.

그렇게 본 기지로부터 가까운 곳부터 먼 곳으로 하나씩 둘러보던 중, 사이트 M15로 칭하는 생산지에 도착했다. 그는 먼저 공중에서 표면을 살폈는데, 이곳은 다른 생산지보다 유난히 안정적으로 보였다. 위장용 변이체도 무수히 증식해 있고, 표면의 흔들림도 다른 곳보다 약하며, 포탄 내부에서 내뿜는 유해물질의 농도도 옅다.

도진은 로봇들에게 들키지 않을만한, 한 높은 지역에 비행선을 착륙시키고, 보호복과 소형 원거리 무기 등을 갖춘 후 그 표면에 발을 디뎠다. 역시 표면 자체는 안정적이다. 하지만 괴상한 형태의 위장용 변이체와 진득거리는 바닥 때문에 위화감이 크게 든다.

공중에 뜬 상태로 활동 중인 로봇들을 관찰해도 되었겠지만, 그는 곧 적진으로 투입될 로봇의 상태를 직접 보고 싶었다. 비록 작전 개시일까지는 며칠 남지 않았지만, 혹시라도 부정적인 특이점이나 개선 필요사항이 발견된다면 더 완벽한 전투 투입을 위해 일정을 미룰 수도 있기 때문이다.

이곳의 중력은 지구에서의 그것보다 약하다. 하지만 로봇을 구성하고 있는 물질의 종류는 밀도가 높아, 그들에게는 상대적으로 큰 중력이 작용하고 있다.

도진이 언덕을 폴짝폴짝 뛰어 천천히 내려가던 중, 그의 머리 바로 위를 무엇인가가 지나갔다. 그것은 공중을 날아다니는 특징을 가진 로봇이었다. 그 로봇은 도진을 보지 못하고 그저 빠르게 그 위를 지나갔다.

"여전히 활동성이 좋아 다행이군."

도진은 그에 아랑곳하지 않고 계속해서 한 로봇의 무리가 있는 곳을 향해 이동했다. 로봇들은 대부분 무리를 지어 활동하고 있는

데, 그 역시도 그들의 경쟁 전략에 불과하다.

하지만 무리를 짓지 않고 혼자 활동하는 경우도 있다. 그런 경우는, 경험에 따라 그 자체로도 경쟁하는 데 문제가 없다고 스스로 판단한 강한 개체이거나, 또는 동족으로부터 외면당한 경우일 것이다.

동족을 상대로 외면하거나 공격하는 경우는, 여러 가지 이유로 도진이 가장 경계하는 로봇의 행동 알고리즘이다. 이미 전갈의 경우에서도 나타났었지만, 목적과 계획에 어긋나는 행동이고 다른 로봇들에게도 영향을 주기 때문에, 감시 로봇들조차 그런 행위를 교정하지 못한다면 즉시 활동을 중지시키고, 그 내부 데이터만 교정 시뮬레이터로 옮기는 처분을 해야 한다.

도진은 계속해서 생산지 곳곳을 이동하며 직접 관찰을 했다. 기지에서 수많은 로봇의 수치화된 데이터를 실시간으로 분석하고 확인하고는 있었지만, 그 방대한 데이터를 처리하여 간략화한 결과물만 보는 것보다 현장에서 상황과 그 분위기를 살피는 편이 훨씬 더 도움이 되었다.

그렇게 도진은 그동안 파악되지 않았던, 로봇들의 몇 가지 문제점을 확인했다.

'직접 와보길 잘했군. 역시, 관리 로봇과 감시 로봇들이 모든 사항을 완벽하게 처리하지는 못해.'

그는 행동에 문제가 있는 로봇과 그 그룹에 속한 로봇들의 ID를 식별한 후 빠른 조치를 위해, 중계기와 관리 로봇을 통해 기지로 그 내용을 전송했다.

도진이 점찍은 그 로봇들은 일단 분석 과정을 거친 후, 결과에 따라 하드웨어는 원 물질로 회귀 되고, 개체 데이터는 교정 시뮬레이터에 입력되어 다듬어지는 작업이 진행될 것이다. 그리고 그나마 교정이 된다면 다른 용도의 로봇으로 전환되거나 후발 전투 로봇으로 이관되어 활동을 시작하겠지만, 그렇지 못한다면 계속해서 교정 시뮬레이터 안에 머무르며 혹독한 교정 과정을 밟게 될 것이다.

그렇게 도진이 여러 지역을 살피던 중, 무언가 낯선 형태의 로봇이 그의 시야에 들어왔다.

'저런 형태의 로봇이 있었던가?'

도진이 이상하게 여긴 그 로봇은 몸 전체가 매끈하여 마치 물을 흘려보내 그 몸통을 빚은 것만 같고, 그 색은 옅은 파란색에 가까워 이곳 생산지 표면에서나 적진에서도 전투에 유리한 보호색은 아니며, 각 관절 또한 유연하여 표면을 미끄러지듯 움직이는 착시까지 일으킬 정도이다. 아무리 봐도 낯선 모양새이다.

로봇의 디자인과 설계에 관련한 직접적인 일은 각 담당 연구원들이 맡고 있었고, 전체적인 사항은 디렉터가 맡아 관리했기에 로봇들에 대한 상세 정보는 그들보다 도진이 아는 것이 적다. 그래서 도진은 방금 시야에 들어온 낯선 로봇을, 자신이 모르고 있는 어떤 종류의 로봇 개체라고 생각했다.

그런데, 그런 외관으로 혼자 다니는 로봇이라니, 그런 행동이 지속되었다면 분명 경쟁 로봇들에게 멸종되었을 텐데도, 여유롭게 다닐 수 있다는 것이 의문이다. 혹은 최근에 무리로부터 외면이나 공격을 당해 홀로 떨어져 나간 개체일 수도 있다. 하지만 워낙 낯선 형태의 외관으로 인해, 도진은 그럴 가능성까지 따져볼 만한 생각은 하지 못했다.

'움직임으로 봐서는 전투에 강해 보이지 않은데, 저렇게 혼자서 돌아다니다니. 저런 상태가 계속되었으면 분명히 다른 종에게 당했을 거야. 참 의문이군.'

도진은 로봇의 ID를 먼 거리에서도 읽고 그 상세 내용을 확인할 수 있는 장치를 꺼내어, 그 대상을 스캔했다. 하지만 몇 번을 반복해도 해당 로봇의 고유 ID가 검색되지 않았다.

'이상하군. 로봇에 ID가 없을 리는 없어. ID가 없다면 활동이 불가하니까. ID는 있는데 우리 시스템에는 등록이 되어있지 않은 건가? 그럴 리는 없을 텐데. 일단 기록해뒀다가 기지에 복귀해서 알아봐야겠어.'

로봇의 성능과 내부 데이터를 알지 못하는 상태에서 그 로봇과 마주친다면 도진이 자칫 위험해질 수도 있기에, 그 로봇이 저 멀리까지 지나가길 기다리며 일단 잠시 서 머물렀다. 그런데, 도진이 잠시 다른 곳으로 시선을 돌린 사이 그 로봇이 도진을 향해 돌진하기 시작했다.

"으엇!"

전혀 예상치 못한 그것의 움직임에 매우 놀란 도진은 잠시 허둥대며 넘어졌고, 그 사이에 로봇은 도진에게 더 가까워졌다. 도진은 오른손으로 원거리 무기를 꺼내든 후 그것을 향해 발사했다. 다행히 장전되어있던 상태라 빠르게 대응할 수 있었다.

도진의 공격을 받은 그 로봇은 상체의 일부가 제거되며 그 움직임을 멈추었다. 하지만, 제거된 부분이 다시 자라났다. 그 속도는 도진이 알고 있던 그 기능의 작동 속도보다 훨씬 빨라, 잠시 지켜보던 중에 이미 원상태로 복구가 되었다.

도진은 펄쩍펄쩍 뛰어 비행선이 있는 언덕의 꼭대기로 급히 몸을 옮기기 시작했다. 그러자 그 로봇도 나름의 방식으로 몸체를 움직이며 도진을 따랐다.

"본부, 본부! 긴급 상황. 생산지 사이트 M15, ID 식별 불가한 개체 하나가 본인에 대한 공격 의사를 보이고 있습니다."

도진은 뒤로 고개를 돌려 자신을 따라오고 있는 그 로봇의 움직임과 방향을 확인했다.

"본인의 현재 지점 E8273, K2923, P2008, PE 방향으로 지면 이동중. 목표물은 약 50미터에서 접근중. 공격대를 급파해주길 바랍니다. 다시 알립니다, 위협적인 상황. E8273, K2923, P2008…."

이동하던 도진은 잠시 멈춰서서, 그 로봇을 향해 다시 무기를 발사했다. 이번에는 3번 연속이다. 하지만, 로봇은 빠르게 원래의 형태로 재생되었다. 그런데, 재생이 되면서 도진의 현재 모습과 비슷한 모양새로 변하는 것이다. 로봇이 스스로 상대의 모습을 복사하는 것인데, 애초에 로봇을 기획하고 생산하면서 고려하지 않은 기능이다.

그리고, 그것은 재생되는 과정에서 그 주변의 물질을 전혀 흡수하지 않았다. 그것은 로봇의 설계로 봤을 때 있을 수 없는 일이다.

게다가 그 속도가 매우 빨랐다. 그렇다는 것은, 그 자체로만 봤을 때 공격성은 형편없을 것이라는 결론이 나올 수 있다.

현재 모든 로봇은 균형이 맞추어져 있다. 한정된 에너지를 활동에 소모해야 하기에, 각 기능 중 하나가 평균 이상으로 우수하면, 어떤 기능 하나는 평균 이하로 수준이 낮다는 의미가 된다. 그래서 해당 로봇의 몸체 재생 속도를 봤을 때, 힘이나 인공지능 수준은 평균에 미치지 못할 것이 분명하다.

동족 무리와 전술도 없이 무작정 도진을 쫓아오는 것만 봐도, 그것이 가지고 있는 행동 알고리즘 수준을 충분히 짐작할 수 있다. 그것이 고유의 행동 패턴이라면, 전갈까지 갈 것도 없이 다른 종류의 로봇들에게 진작에 당했을 텐데 이상하다. 어쨌든 해당 로봇의 전체적인 성능에 대한 짐작이 맞다면, 도진이 충분히 맞설 수는 있을 것이라 예상해볼 수 있다.

하지만, 각 로봇마다 부여된 고유 ID 스캔이 되지 않는 개체라는 점에서, 도진은 상대를 경계해야 했다. 정상적으로 생산된 제품이 아니거나, 어떤 변수가 적용된 개체라면 도진 자신이 알고 있는 균형 공식에 맞지 않을 수도 있기 때문이다.

도진이 자신이 타고 온 비행선에 가까워졌을 무렵, 급히 기지에서 출격한 공격대가 도착했다. 지원을 온 비행선에는 진성과 3명의 기술원, 그리고 남성 주민 5명이 탑승하고 있다.

도진은 자신을 뒤따르고 있는 로봇의 특성을 공격대에 알렸다. 그러자 곧장 비행선에서, 얇지만 날카로운 액체 줄기가 직선에 가까운 형태로 뿜어져 나왔다. 그리고 도진의 뒤에 거의 접근해있던 그 로봇에 정확히 뿌려졌다.

그 액체를 맞은 로봇은 몸체가 녹아내리나 싶더니, 액체 줄기가 그치자 다시 회복되었다. 그러자 공격대는 다른 몇 가지 대응 방법을 동시에 사용했다.

그러자 강한 에너지 파동성 공격에 그 로봇의 몸체가 조금씩 먼지가 이는 것처럼 뿌옇게 변하더니, 이내 모두 분해되어 공중으로 흩어지며 사라졌다. 더는 스스로 재생할 수 없는 어떤 물질로 회귀된 것이다.

위급했던 상황이 종료되자, 지원을 온 비행선에서 진성을 비롯한 모두가 내렸다.

"형, 괜찮아?"

"괜찮아. 오랜만에 운동을 좀 했네."

"그런데 저건 무슨 종류지? 좀 특이하게 생겼던데."

"나도 몰라. 처음 보는 종류야. 베이스가 되는 모델이 YN-9으로 보이긴 하는데, 계획과는 다른 방향으로 업그레이드가 된 건지…. 그런데, ID 식별이 되지 않았어."

"나도 도착하자마자 그것부터 해봤는데, 아무런 기록이 나타나질 않았어. 영상으로 남겨 놨으니까 기지에 가서 확인해볼게."

지원을 온 공격대가 먼저 이 생산지를 떠났고, 도진은 떠나기 전에 생산지의 전반적인 상태를 다시 살피기 위해 시선을 여러 방면으로 옮기던 중, 무언가가 그의 시야에 닿았다. 그것은 위장용 변이체에 몸을 반쯤 숨겨 자신을 빤히 바라보고 있는 전갈 종 셋이다.

언제부터 도진을 지켜보고 있었는지 알 수는 없지만, 잔뜩 경계하는 듯한 몸짓을 하고 있는 것으로 봐서는, 아마도 정체불명의 로봇이 공격당해 사라지는 것은 본 것 같다. 그들에게는, 도진이 그들의 제작자 중 하나이자, 그 제작자들을 이끄는 상위 직책을 가졌다는 사실을 알지 못하고 있으니, 아마도 자신들보다 훨씬 강한 로봇이 나타났다는 생각에 상대를 탐색하는 중일 것이다.

도진은 전갈의 약점을 정확히 알고 있기에, 등에 묶여 있던 한 무기를 꺼내어 손에 쥐었다. 하지만 전갈은 도진을 향한 공격 의사를 전혀 보이지 않는 데다가, 오히려 경계하는 몸짓을 보이고 있어서 굳이 그 무기를 쓸 필요가 없는 상황이다.

이제 도진은 그저 그들에게서 등을 돌려 비행선에 탑승 후, 다른 목적지로 향하면 된다. 하지만, 도진은 그들을 가만히 바라보았다.

그렇게 잠시 잠자코 서 있던 도진이 그들을 향해 다가갔다. 도진의 손에는 그 어떤 무기도 들려있지 않다. 한때 골칫거리 종이었던 전갈에게 현장에서 직접 다가가며, 그 어떤 실질적인 대비도 없이 그들과 가까워지고 있는 것이다. 그야말로 위험한 행동이다.

자신에게 다가오는 도진을 본 전갈들은 공격하지도, 도망을 가지도 않고 그저 호기심 많은 아이처럼 여전히 몸을 숨긴 채로 도진을 빤히 바라보는 중이다. 그리고 멈춰선 도진과 그들은 약 5m 거리에서 마주했다.

전갈들은 몸체를 움찔거리며 그들만의 어떤 신호를 서로 주고받았는데, 그게 무슨 내용인지 도진은 알 수 없었다. 로봇들은, 다른 종족이 보이면 공격 또는 방어 활동이 기본적인 행동 패턴으로 지정되어 있다. 물론 그 판단 알고리즘과 행동력은 종마다 다르지만, 어서 판단해야 하고, 판단되면 움직여야 하고, 판단이 느려질수록 불리하다는 프로그램 역시도 기본 장착되어 있다. 그런데도 전갈들은 도진에게 아무런 행동을 하지 않는 것이다.

갑자기 도진의 눈썹이 들썩거리더니 이내 눈에서 눈물이 주르륵 흘렀다. 도진에게서 태어나 처음으로 온갖 복잡한 감정이 나타나기 시작한 것이다.

참 이상한 일이다. 감수성이 풍부한 어린 시절에 또래 아이들로부터 그렇게 따돌림을 당했어도, 네닉 프로젝트의 최고 결정권자라는 무거운 짐을 어깨에 메고 있는 중에도, 믿었던 동료들이 계속해서 배신하는데도 큰 감정의 동요는 없었지만, 이상하게도 지금 이 순간만큼은 그 자신도 알 수 없는 어떤 복잡한 감정이 생겨나고 있는 것이다.

도진은 잠시 그러고는, 오른쪽 허리춤에 차고 있던 원거리 무기를 꺼내어 주변으로 발사했다. 그러자 '벙벙'하는 저주파 음이 발생함과 동시에 주변의 위장용 변이체들이 분해되어, 그 가루가 사방으로 흩어졌다. 그러자 그것을 본 전갈들이 아연실색하듯 도진이 서 있는 반대 방향으로 빠르게 도망갔다.

평소보다 더 굳은 표정으로 비행선에 오른 도진은 이 생산지를 빠르게 벗어났다. 그리고 조금 전 도망을 갔던 그 전갈 무리가 멀리서, 도진이 탑승한 비행선이 공중을 날아 이 장소를 벗어나는 장면까지도 목격했다.

그리고 에너지 충전을 위해 임시로 지정한 자신들만의 보금자리로 되돌아간 그 전갈 무리 중 하나가, 도진과 그 일행의 모습을 목격한 장면을 한 큰 물체에 그림처럼 그리더니, 그곳에 있는 무리에게 보여주며 그들만의 고유 프로토콜을 사용하여 소통을 시작했다.

도진의 일행과 비행선을 묘사한 듯한 그림의 형태는 세밀하지 않고, 서로 간의 소통을 위한 고유 프로토콜도 단순하여 그것에 대한 자세한 내용을 전달하지는 못했겠지만, 그 순간 분명 그 무리의 내부에는 무언가 새로운 행동과 판단 알고리즘이 생성되었을 것이다.

그 후 도진이 현장 시찰을 하러 간 다른 생산지에서도 ID 식별이 되지 않는 로봇이 하나 더 발견되었다. 대충 훑어볼 요량으로 간 넓은 생산 현장에서 정체를 알 수 없는 로봇이 두 대나 발견되었다는 사실에 의문을 더해갔다.

기지로 복귀한 도진은 동료들을 모아 간략하게 현장의 상황을 브리핑했다. 그리고 정체불명의 로봇에 대한 의견을 나누었으나, '모르겠다.'라는 결론이 나왔다. 그야말로 미스터리한 일이다. 본 기지에서 확인하면 무언가 단서가 나올 줄 알았던 도진에게는 보통 답답한 일이 아니다. 이상한 행동을 보이는 로봇을 개선하는 일과는 차원이 다른 문제이다.

하지만, 이제 곧 생산지의 로봇들을 모두 수송선에 실어 적진에 침투시킬 일만 남은 상황에서 일을 크게 벌일 필요까지는 없고, 그럴만한 여유도 없다. 만약 그 로봇을 조금 더 일찍 발견했더라면, 모든 생산지를 이 잡듯 뒤져 그것들을 온전한 형태로 수거하여 분석했을 것이다.

사실 그 정체불명의 로봇은, 전갈을 부정적인 방향으로 변태하도록 만든 여러 요소 중 가장 큰 요인이었다. 전갈이 동종을 공격하도록 만들고, 예상 불가한 거친 행동을 하도록 영향을 준 직접적인 원인 중 하나가 바로 그 로봇이다.

그 정체불명의 로봇은 후발 로봇을 생산하는 기능이 없고, 자체 업그레이드나 업데이트 따위의 행위도 하지 않는다. 오로지 다른 로봇의 행동 알고리즘을 괴상하게 바꾸어버리는 방법으로 공격하는 것이다. 그것은 상대에게 물리적인 파손을 일으키는 공격법이 아니다. 그저 다른 로봇들에 접근해 로봇들의 각종 센서로 특정 신호를 집어넣어, 그 내부의 가변 알고리즘과 설정값 일부를 바꿔버린다.

그것은 로봇의 내외부와 프로그램 구조, 작동 방식 등을 정확하게 알고 있지 않은 이상 불가능한 일이다. 그리고 그 목표물이 전갈이었는데, 우연히 그 로봇에게 전갈이 목표로 지정되어 그에 당한 것인지, 아니면 그것이 의도적으로 전갈에 접근한 것인지는 알 수 없다.

다른 로봇들과는 다르게 그 어떤 데이터도 본 기지로 전송하지 않고, 관리 로봇조차 식별하지 못하고 오류로 처리한 이 로봇을 도진과 그의 동료들이 알 수는 없었다. 하지만 어쩌면, 도진의 세력

안에 누군가는 이 정체불명 로봇의 존재를 정확히 알고 있었을지도 모른다는 생각은 해볼 필요가 있다.

그나마 다행인 점은, 각 생산지에 뿌려놓은 감시 로봇들이, 그 정체불명의 로봇이 망쳐놓고 있던 몇 가지 일들을 조금이나마 교정하고 있었다는 것이다. 물론 완전하지는 않았다.

마을의 되찾기 위한, 마을을 차지한 로봇들을 향한 공격 준비가 마무리되었다. 인공지능 전투 로봇을 사용한 방법은 이번이 분명 마지막이 될 것이다. 그에 대한 의견은 연구 기술원들 모두도 동의한 상태였다.

도진이 기지의 중앙통제실 내부에서 창밖을 보며 숨을 깊게 들이마시고 내쉬었다. 그리고 그 옆에는 디렉터가 비장한 각오를 한 듯 눈을 부릅뜨고, 여러 정보 출력기에 출력되고 있는 복잡한 텍스트와 그래프를 살펴보는 중이다.

그러던 중, 마을의 상태를 보여주는 화면이 그들의 정면에 켜졌다. 정찰기가 직접 탐사 후 보내주는 신호가 아닌, 원거리 목표물의 구성물질 진동 성분과 에너지의 변화 상태를 포착하여 이미지화하는 장치를 사용한 것에 불과해, 적의 정확한 동태는 확인되지 않는다.

도진이 마을의 상황을 확인하고 있던 디렉터에게 물었다.

"계획대로 시작해도 될까요?"

이곳의 최고 결정권자이자 모든 일의 책임이 있는 도진이 디렉터에게, 마치 허락을 받는듯한 뉘앙스로 물었다. 그의 말투에 디렉터 역시도 이상하다고 생각했는지 도진의 얼굴을 잠시 살피고는 응했다.

"물론입니다."

"알겠습니다."

이번에도 허락을 받는 신하처럼 그 답을 받았다. 이전까지는 없던 일이다.

이번 공격 역시도 지난번처럼 내부가 텅 빈 더미 비행선을 먼저 보내기로 했다. 도진의 지시에 따라 더미 비행선이 우주 공간으로 먼저 날아갔고, 적진으로 빠르게 가기 위한 공간 수축 기능이 발현되길 기다리며 잠시 대기했다.

모든 수송선에는 각 생산지에서 가장 많이 증식했으며, 강한 특성을 가진 로봇들이 엄밀히 선별되어 가득 실렸다. 현재 대기 모드인 로봇들은, 적진에 도착함과 동시에 전투 모드로 전환되어 적군과 치열하게 싸울 것이다.

"공간 수축 완료되었습니다. 294-934-341-241-771 지점에 통로가 생성되었습니다. 지속 예정 시간은 11.7U 입니다."

한 연구원의 말에 도진이 계획 과정을 이어나갔다.

"더미 비행선 투입하세요."

원격으로 조종되고 있는 더미 비행선들이 수축된 공간 지점을 유유히 통과해나가기 시작했다. 기지의 중앙통제실 내부는 긴장감으로 적막이 흐르고 있다. 마치 지구에서 이곳으로 떠나오기 직전의 분위기와 같다.

더미 비행선이 수축된 공간을 지나 적진으로 도달하길 기다리던 그때, 갑자기 무언가가 그 수축된 지점을 통해 나타났다. 그곳에서는 더미 비행선이 사라지는 모습만 보여야 하는데, 그 반대로 무언가가 나타난 것이다. 그 때문에, 중앙통제실에서는 웅성거리는 소리와 내부인들의 움직임으로 적막이 깨졌다.

"함정입니다. 적의 공격체입니다! 어서 대피해야 합니다!"

그것의 정체를 식별한 한 기술원이 소리를 지름과 동시에 통제실 내부는 혼란에 빠졌다. 갑자기 나타난 적의 공격체가 어떤 방법을 썼는지, 기지 전체가 무너져내리기 시작한 것이다.

기지에 있는 모든 사람이 보호복을 급히 갖춰 입고, 정박 중이던 비행선들에 올랐다. 그리고 도진이 다른 한 가지 지시를 내렸다.

"수송선에 있는 모든 로봇을 다시 생산지로 방출하고, 빈 수송선은 모두 수축 통로가 열린 방향으로 최대 출력으로 한꺼번에 보내세요!"

그러자 수송선에서 대기 중이던 로봇이 모두 생산지로 다시 쏟아져 내렸고, 그와 동시에 그들의 대기 모드가 풀려 다시 원래대로 활동을 시작했다. 그리고 수송선은 공격체가 들어온 지점 방향으로 자동 조종되어 날아가기 시작했다. 그것은 적에게 로봇 생산지까지 들켜서는 안 된다는 도진의 결정이다.

적의 공격에 기지는 순식간에 무너졌고, 비상상황 메뉴얼에 따라 기지의 중앙통제시스템에 저장되어 있던 모든 자료와 데이터가 한 비행선 내부의 서브 시스템으로 재빠르게 옮겨졌다. 불안정한 포탄 위의 생활이었기에, 이러한 비상상황에 대한 대비가 제대로 되어있던 덕분이다.

수축되어 있던 공간 통로가 닫혔다. 일정 시간이 지나면 닫힐 수밖에 없는 구조였기에, 따로 손을 쓰지 않아도 적의 공격체가 들어온 통로는 일단 막힌 것이다.

하지만 그 통로가 열려있던 사이에 침입한 적의 공격체는, 본기지는 물론이거니와 그 가까운 곳에 있던 생산지 하나를 일부 파괴했다. 적의 공격체가 생산지로 가던 한 수송선을 추적한 탓이다.

그나마 다행이었던 점은, 해당 생산지에 떠 있던 중계기의 방어 기능이 작동하여, 적이 보낸 공격체를 우주 공간에서 폭발시켰다. 그 피해가 더 커질 수도 있던 상황을 최소화한 것이다. 그 대신 해당 중계기도 그 과정에서 완전히 파괴되었다.

적의 기습으로 인해 도진은 은거지를 들켰다. 하지만 적은 공간 수축 기술을 가지고 있지 않으므로, 그들이 다른 독특한 방법을 찾아내지 않는 한 도진의 세력이 같은 방법으로 다시 공격받지는 않을 것이다.

공간 수축 기술의 구현을 위한 기초 이론은, 도진을 비롯한 그의 연구 동료들이 발견하고 정립한 것이 아니다. 그 기술은 처음 네닉 프로젝트의 진행을 맡겼던 '전달자'들이 전수해준 과학적 자료를 토대로 한 것이다.

도진이 그 관련 이론을 학습하면서 느꼈던 점은, 현세대의 인간들이 스스로 깨우칠 수 있는 내용이 아니라는 것이었다. 그 생각은 다른 동료들도 마찬가지였다. 그것은 애초 이 우주를 설계하고 만든 존재로부터 내려져 왔을 것이라는 생각이었다. 그러므로 아무리 연산력과 학습력이 우수하다 한들, 마을에 있는 인공지능 로봇들이 스스로 깨우칠 만한 기술은 아니다.

하지만, 위치를 들킨 이상 그저 마음 놓고 있을 수만은 없다. 공간 수축 기술이 아닌, 독특한 방법을 로봇들이 시도할 수도 있기 때문이다. 이 우주는 많은 비밀을 감추고 있기에, 도진의 세력이 모든 것을 알고 있다고 자신할 수는 없다.

어쨌든, 로봇 생산지들까지 들키지는 않았으니, 일단 본 기지만이라도 다른 곳으로 이전해야 하는 상황이다.

도진을 비롯한 사람들은 비행선 세 대에 나누어 탔다. 그리고 그저 아무것도 없는 상태로 덩그러니 남아 있는 비행선 두 대에는, 생산지의 로봇들이 보내오는 활동 데이터와 관리 로봇으로부터의 실시간 생산 현황 보고 내용을 취합하고 저장할 수 있는 정보처리 시스템을, 여러 생산지의 중간 위치에 보내 고정해 두었다. 그 시스템은 누군가가 별도로 조작하지 않아도, 한동안은 자동으로 로봇들의 활동, 생산과 관련된 데이터를 받아 저장할 것이다.

그리고 적의 공격체를 막느라 중계기가 파손된 생산지로, 여분의 새로운 중계기를 다시 설치했다. 그런데 새로운 중계기를 설치하는 과정에서, 그 과정이 급하게 진행된 탓에 무언가가 잘못되어 생산지 표면이 그 영향을 받아 조금씩 흔들리기 시작했다. 그러면서 표면 위의 물질과 물체들 역시도 그에 따라 휘청거렸다.

일시적인 흔들림이라면 크게 문제 될 것은 없으나, 그 움직임이 시간에 비례하여 커졌다. 그렇다면 곧 표면의 모든 로봇이 그 영향을 받아 손상을 입을 수 있다는 의미가 된다.

담당 연구원은 급히 해당 생산지에 머무르는 감시 로봇에게 신호를 보내어 안전지대를 확보하게 한 후, 최대한 많은 로봇을 그곳으로 대피하도록 지시했다. 그리고 포탄의 표면 흔들림은 한계치까지 진행된 후 서서히 멈췄다.

하지만 담당 연구원이 조치한 사항은 감시 로봇에게 대피 방법을 마련하라고 활동 지시 신호를 보낸 것이 전부였기에, 안정된 후의 결과는 알지 못한다. 로봇들도 중요하지만, 인간들도 어서 대피를 해야 하는 상황이기 때문이다.

그렇게 마을의 로봇들을 향한 네 번째 기습 작전의 일정은 잠정 연기되었다.

도진은 우주 공간의 한 목표를 향해 날아가고 있는 무수한 포탄들을 비행선에 난 창을 통해 가만히 바라보는 중이다. 그의 표정에는 근심이 묻어 있는 것 같기도 하고, 아쉬움이 보이기도 하고, 고민이 느껴지기도 한다. 그런 도진에게 디렉터가 조용히 다가와 말했다.

"아직 실패한 것은 아니니 너무 상심치 마시죠."

"전 상심이라는 기분은 잘 모릅니다."

"그렇군요. 다들 마음이 불안정할 테니, 조금 안정되면 로봇을 적진으로 투입할 다른 방법을 모색해보죠."

"생산지의 전투 로봇들은 우리가 다시 찾을 때까지, 계속해서 그들의 방식대로 스스로 업그레이드와 업데이트를 하며 증식해 나가겠군요."

"그렇습니다. 하지만 업그레이드는 설계상 한계치까지 다다랐으니, 업데이트 또한 곧 한계에 다다를 겁니다. 그러면 그 상태로 머무르거나, 아니면 오히려 다운그레이드가 될 수도 있겠죠."

"그렇겠죠. 그런데, 묻고 싶은 게 있습니다."

"뭐든지요."

"ID가 없는 로봇, 정체를 알 수 없는 그 로봇은 왜 생산지에 두신 겁니까."

도진은 작은 목소리로, 그저 가십거리를 나누는 대화 속에서 시시한 질문을 던지듯 담담하게 그 질문을 내뱉었다. 그러자 주변의 공기가 냉랭하게 변했다. 둘은 서로의 얼굴을 바라보지 않고 창밖의 반짝이는 포탄들을 가만히 바라보고 있다. 그들은 누가 더 표정과 감정의 흔들림 없이 지금의 상황을 버티는지 내기라도 하는 것처럼 미세한 움직임도 없다.

잠시 후, 도진의 질문에 입을 다물고 있던 디렉터가 그 질문에 대답을 했다.

"저의 역할입니다."

"역할…. 더 할 말은 없습니까?"

"더는 없는 것 같군요."

도진은 디렉터에게 네닉 프로젝트의 전체적인 진행 상황을 관리하고 감독하는 역할과, 자신을 보조하는 일 외에는 부여한 역할이 없었다. 이전에도, 지금도 그렇다. 그런데, 디렉터는 모든 동료가 알지 못하는 일을 해놓고 자신의 역할이라고 하는 것이다.

디렉터는 배신자 또는 도진과 등을 지려는 인물일까. 그는 도진을 만난 후부터 지금까지, 도진의 계획 자체를 방해하거나 그와 관련된 인물을 해치려는 의도를 나타내며 행동한 적이 없었다. 오히려 도진에게 여러모로 도움을 주는 편이었다.

그리고 디렉터는 도진과 자신의 동료들에게 동의받지 않은 임의의 결정이나 행동을 한 일도 없었다. 단지 특정 로봇의 정상적인 생산을 방해하는 한 가지 행위를 들킨 것뿐이다.

물론, 그 한 가지 행동이 지금의 이 결과를 낳았을 수도 있기에 결코 가볍다고 볼 수만은 없다. 굳이 그와 도진의 관계에서 부적절해 보이는 점을 찾자면, 네닉 프로젝트가 시작된 후 현재까지의 굵직한 결정에는 디렉터의 조언이 크게 작용했다는 점이다.

도진은 디렉터가 정말로 자신과 동료들을 배신하기 위해 저지른 행위인지, 그에 대한 의문에 대해서는 결론을 내지 못했다. 어쩌면 그는 '피아'라는 이분법적 관계로 구분할 수 있는 인물이 아닐 수도 있다.

디렉터는 도진에게 '정체불명의 로봇이 자신과 연관되어 있다.'는 그 사실을 어떻게 알았느냐고 묻지 않았다. 그리고 도진 역시도 디렉터의 '나의 역할이다.'라는 그 답에 아무런 대응도 하지 않았다. 그렇게 둘은 한동안 가만히 창밖의 경관을 지켜보았다.

끝 그리고 처음

비행선 세 대가 우주 공간을 유유히 헤쳐나가고 있다. 그리고 그중 한 대, 본선에서 어떤 일이 벌어지고 있다.

도진은 모든 동료를 한자리에 모아 놓고, 동료 중 어느 한 사람이 벌인 일에 대해 설명을 이은 후, 냉담한 표정과 단호한 목소리로 말했다.

"그러므로, 이제부터 18번 기술원의 직책을 박탈합니다. 18번 기술원은 더는 디렉터가 아니며, 모든 활동을 제한합니다. 지금부터 그 누구도 18번 기술원과 직접 접촉해서는 안 되며, 만약 접근하려는 작은 시도라도 있을 시 그 사람 역시도 같은 처분을 내리겠습니다."

그리고, 그 말이 끝남과 동시에 진성이 디렉터, 즉 18번 기술원의 팔을 강하게 붙잡고는 어딘가로 끌고 갔다. 조금 전까지 도진과 학술적 교류를 하던 친구이자 이 대형 프로젝트의 디렉터 신분이었던 그가 강등당해, 비행선의 어느 한 작은 공간에 갇히게 되는 것이다. 18번 기술원은 그 어떤 저항도 하지 않은 채 진성의 힘에 이끌렸다.

모여있던 그의 동료들은 탄식하거나, 믿지 못하겠다는 표정을 짓거나, 또는 도진에게 그와 관련한 질문을 계속해서 던지는 등 지금의 이 상황에 부정적이고 개탄하는 태도를 보였다. 그럴 수밖에 없다. 이 프로젝트의 처음부터 지금까지 함께 한 동료인데, 그런 그가 감금당하는 모습을 그저 가만히 받아들일 수는 없는 것이다.

도진은 그런 그의 동료들에게 사실만을 전했다. 정체불명의 로봇을 다른 동료들이 모르게 생산지에 투입한 것은 부정할 수 없는 사실이기 때문이다. 게다가 18번 기술원 스스로가 그 사실에 대한 해명을 전혀 하지 않았으니 도진의 주장이 옳다는 방증이고, 그가 이 조직에 위협을 가하는 위험인물이 아니라는 반박 근거도 없다.

사실, 도진은 단지 그 사실 하나 때문에 그를 감금시킨 것이 아니다. 다른 목적이 하나 더 있다.

모두가 탑승해 있는 비행선은 우주 공간의 어느 한 지점에 멈춰섰다. 그리고 마을의 로봇들 또는 이미 알려진 적이 어떤 행동을 보이는지 정확히 확인될 때까지는 그렇게 머무를 것이다. 물론, 그 기간이 오래 지속되지는 않을 예정이다.

그렇게 적들로부터 추적 또는 현 위치가 파악되지 않았다는 것을 확인하기 위해 몇 날 동안 경계태세로 지낸 후, 안전함을 확인하고는 경계를 풀고 모두는 휴식 기간을 가지기 시작했다.

로봇 생산에 대한 모니터링이나 관리를 하지도, 적진으로 향하기 위한 계획을 수립하지도, 추가 시설물이나 비행선을 만들지도 않는 시간을 가지게 되자 모두는 오랜만에 편안함을 느끼는 듯 보인다. 어깨의 무거운 짐을 잠시 내려놓자 행복감이 찾아드는 상태가 된 것이다. 그것은 딜레마이다.

마을의 대지보다 훨씬 좁고, 칙칙하며, 주변에 아무것도 없는 우주 공간의 비행선에서 이런 상태로 적절한 평온함을 누리며 편하게 지낼 것인지, 아니면 자신들이 만들어낸 괴물 로봇들을 상대하며 더 나은 환경에서 인류의 번영을 위해 그 어려운 과정을 이어나갈 것인지, 이 구성원 안의 누군가는 하나의 결정을 하고 모두를 이끄는 행동을 해야 한다.

그런데, 이제는 그 최종 결정을 하는 이가 도진이 아니게 될 수도 있다. 거듭된 배신자들의 훼방과 어려운 적들의 탄생, 그리고 여러 방면으로 모든 동료의 본보기가 되었던 디렉터까지 캡틴에 의해 감금당하는 일이 생기자 동료들도 조금씩 동요하고 있다.

그 일련의 일들이 도진의 부족함으로 비롯되었다는 책임론이 고개를 들었다. 물론, 실질적으로는 그 과정에서 도진의 고의적이고 의식적인 잘못은 없었다. 그의 어린 시절에도, 지금 여기까지 오는 길에도 그랬다.

언제나 생각이 많아 보이던 그이지만, 이번에는 그 정도가 더해 보인다. 인간의 유전체를 보전해야 한다는 1차 목표도 이제는 정말로 거북하게 느끼는 듯하다. 고도화된 과학적 이론을 실제로 구현하고, 촘촘한 계획에 따라가면 그 목표 따위는 아무것도 아닐 거라고 생각했다. 우주의 법칙을 깨우치고 행한다는 것 자체가 커다란 무기였기에 두려울 것이 없었다. 하지만, 이제는 그렇지 않다.

그는 인간 행동의 원리와 법칙을 풀어낼 만한 공식 따위는 몰랐다. 이 거대한 우주도 그 나름의 정해진 법칙을 가지고 있는데, 이 거대한 우주를 다루려는 그가 물질로 구성된 유기체인 인간의 행동 습성을 제대로 알지 못하는 것이다. 현재까지 그가 달려온 모든 길의 어긋남은 그것에서 비롯되었다고 해도 과언이 아닐 것이다.

도진은 자신의 직책을 내려놓겠다고 선언했다. 그 명분은, 지금 이 순간 결과적으로 올바르지 않은 길에 와 있다는 것이다. 그러자 오로지 진성과 다른 한 명의 연구원만이 그의 그런 결정을 강하게 반대했다. 하지만 그들은 도진의 그 결정을 꺾을만한 좋은 방법은 없는 듯했다. 대부분 그의 동료들은 그의 그 결정에 긍정의 반응을 보였다. 아무런 반응을 하지 않는다는 것 역시도 긍정의 표현이라고 여긴다면, 그랬다.

연구 기술원들은 자신들끼리 토론과 투표 끝에 한 명의 연구원을 새로운 캡틴으로 선정했다. 그는 한때 로봇으로 로봇에 대응한다는 책략을 탐탁지 않게 생각하던 인물이다. 아니, 단지 그 책략에 다른 의견이 있던 것인지, 아니면 다른 이유가 있어 도진이 진행하는 일들을 부정적으로 여겼었는지는 정확히 알 수 없다.

그렇게 지내던 어느 날, 도진은 근석과 전 디렉터가 갇혀 있는 장소로 갔다. 그들은 각자 사방이 막힌 방에서 지내고 있는데, 도진의 허락 없이는 한 발자국도 나올 수 없으므로 일종의 감옥이라고 볼 수 있다. 물론, 이제부터 도진은 이곳의 최고 결정권자가 아니므로, 조만간 새로운 캡틴이 그들의 처분을 다시 결정할 것이다.

도진은 우선 근석이 있는 방으로 갔다. 그리고 그곳을 지키고 있는 주민 두 명에게 무언가를 일러두고는 문을 열도록 했다. 문이 열리자, 우레와 같은 고함과 함께 근석이 도진에게 달려들었다.

"우아아아악!"

그러자 마치 기다렸다는 듯 두 명의 건장한 주민이 근석을 붙잡아 패대기쳤다. 그러자 순간 그 소리가 뚝 끊겼고, 근석은 바닥에 넘어진 채 다시 일어서려 했지만 두 주민에 의해 일어서지 못하도록 즉시 제압되었다. 그리고 도진이 가만히 근석에게 다가가 말했다.

"아직 반성을 하지 않고 있군요. 조금 전 그 행동이 과연 자신의 미래에 도움이 된다고 판단한 건가요? 흐음…. 인간은 타인에 대한 행동과 감정을 스스로 조절할 수 있는 능력을 가지고 있습니다. 그 편이 생존과 번영에 유리하니까요. 신께서 애써 만들어주신 그 능력을 왜 써먹지 않는 건가요?"

근석은 그 말에 대응하지 않은 채 자신의 분을 제대로 풀지 못했다는 감정만 남은 듯, 그리고 바닥에 패대기쳐져 고통을 느끼고 있는 듯 씩씩대는 소리만 내는 중이다.

"신께서는 당신을 무척 탐탁지 않게 여기시겠군요. 당신을 기다리고 있는 사람들을 위해서라도 그러지 않는 편이 좋을 겁니다."

도진은 근석에게서 등을 돌려 다시 문을 닫게 하고, 이번에는 그 근처에 있는 다른 방 앞에 가 섰다. 그 방은 전 디렉터가 있는 방이다.

도진은 주민들에게 이 방의 문을 열도록 했다. 그러자 곧장 문이 열렸는데, 그곳에는 아무도 있지 않다. 그것을 본 주민들은 놀라 방안을 구석구석 살피는 행동을 취했는데, 정작 도진은 아무렇지 않은 표정으로 그 장면을 가만히 지켜보았다.

그 방의 문은 누군가가 열어주지 않는다면 인간의 힘으로는 절대로 열 수 없도록 개조되어 있고, 실제로도 그 기능적인 문제는 전혀 없었다. 게다가 그곳을 지키는 주민이 교대하며 상시로 있었기 때문에 그 안에서 몰래 빠져나갔을 리는 없다. 물론, 그 안에는 텔레포트 따위도 없다.

자신들의 소임을 제대로 수행하지 못했다고 자책과 변명을 하는 그들을 뒤로 한 채 도진은 다른 곳으로 발걸음을 옮겼다. 그는 그곳을 지키는 주민들의 실수나 잘못이 아님을 알고 있다는 듯, 그들을 질책하거나 따져 묻지 않았다.

도진은 비행선의 어느 한 장소로 가, 전 디렉터가 감금되어 있던 방안의 감시 장치로부터 얻은 며칠간의 입체 영상을 출력시켜 보았다. 그리고, 그 안에 있던 전 디렉터가 어느 순간 사라지는 장면이 보였다.

그 어떤 상식과 과학적 이론을 대입해도 불가능에 가까운 장면이다. 그 영상만을 본다면, 분명 누군가가 고의로 조작했다고 믿을 만하다. 하지만, 전 디렉터였던 18번 기술원은 실제로 사라졌다. 영상 조작 따위가 아니다. 그럼에도 도진은 놀란 반응을 보이지 않았다.

그 후, 도진은 곧장 비행선 내부의 텔레포트 종단이 있는 장소로 갔다. 그리고 끝이 날카로운 한 금속 막대기를 바로 근처의 자재 창고에서 가지고 오더니, 그 옆의 한 벽면에 무언가를 그렸다.

비행선의 몸체는 매우 단단하여 눈에 띌 정도로 흠집을 내기는 쉽지 않은 일이다. 그럼에도 도진이 그린 것은 '숫자 8'이 누운 모양, 무한대 기호이다. 그것에는 도진의 어떤 생각과 의지가 담겨있고, 그것은 누군가에게 보내는 메시지일 것이다.

그러고는, 그는 비행선 내부의 보안이 철저한 한 장소로 갔다. 그곳에는 온갖 복잡한 장치들이 마련되어 있는데, 도진은 익숙한 듯 그 안의 한 지점으로 가서 어느 장치를 조작하더니, 잠시 후 금속으로 만들어진 가방 안에 무언가를 가득 넣었다.

그 후, 도진은 그저 담담한 표정을 하고서는 진성과 한 여성 연구원을 데리고, 지금 이 비행선의 양옆에 텅 빈 채로 둥실 떠 있는 다른 한 비행선으로 가 모든 장치를 가동시켰다. 그것은 비행선을 출격시키려는 준비 행위이다.

9번 연구원으로 칭해지던 그 여성 연구원은 진성과 서로 좋은 감정을 가지고 있는데, 그것을 도진은 진작 알고 있었다. 그런데 이제 와서 그 둘만 데리고 비행선을 옮겨 탄 것이다. 지구에서라면 모를까, 이 공허한 우주 공간을 다니며 여행이라도 시켜줄 것은 아닐 텐데, 그랬다. 그리고 그와 함께하고 있는 몇 가지 물건들도 있는데, 그중에는 자가증식형 전투 로봇의 연구용 최초 제작품인 알파 타입들도 있다.

도진은 그의 동료 누구에게도 알리지 않고 그 둘과 함께, 최대 출력으로 설정된 비행선을 조종해 어딘가로 향하기 시작했다.

잠시 후 그들이 도착한 곳은, 각 생산지의 중간 지점쯤에 두고 온 한 비행선이다. 도진은 그 비행선과 도킹 후 그곳으로 몸을 옮겨, 로봇들의 활동과 생산 데이터가 실시간으로 쌓이고 있는 장치를 열어 자료를 확인했다. 다행히 모든 로봇의 데이터가 고스란히 저장되고 있다. 저장될 뿐만 아니라, 문제가 있는 로봇들의 데이터가 자동으로 분류되는 작업까지 무난히 진행되고 있다.

그는 그 모든 데이터를 분석한 결과와 몇 가지 관련 자료들을 살펴보기 시작했다. 그때 진성은, 그의 형이 단순히 로봇의 생산 현황을 확인하러 온 목적이 아님을 느꼈다. 도진이 평소 일을 할 때와는 다르게 느긋하고 눈빛이 가라앉아 있으며, 마치 시시한 책을 읽는 듯 행동하고 있기 때문이다. 하지만 진성과 9번 연구원은 자신들이 당장 위험한 상황에 놓인 것은 아니므로, 그저 조용히 도진이 하는 일을 보조하기만 했다.

도진은 로봇들의 행동을 제어하는 시스템에 접속하여, 감시 로봇에게 어떤 행동 프로그램과 지시사항을 추가로 입력시켰고, 일부 로봇들을 대상으로는 몇 가지 제어 신호를 보냈다. 그 몇 가지 제어 신호 중 하나는 자가 업그레이드를 멈추도록 하는 것이다. 어차피 현재 많은 로봇이 설계상 발전의 한계치에 다다르고 있기 때문에 굳이 그럴 필요는 없지만, 로봇들의 데이터를 확인한 후 어떤 이유로 인해 사전 조치를 했다.

그렇게 특정 로봇들은 가변성을 잃었다. 다만, 각 개체의 경험에 따른 데이터 자가 업데이트는 정상적으로 이루어진다. 행동 패턴과 그 알고리즘은 계속해서 변화한다는 의미이다.

그렇게 시간이 조금 흐른 후, 도진은 살펴보고 있던 자료들에서 시선을 돌리고는, 무언가 편안한 느낌의 표정으로 기지개를 켜듯 몸을 펴며 말했다.

"M12로 가볼까."

그러고는 그는 창밖으로 시선을 돌렸고, 진성은 조종대를 잡고 로봇 생산지 사이트 M12로 향했다.

오래지 않아 M12로 칭하는 로봇 생산지에 도착했다. 그곳은 마을의 로봇들로부터 보내진 공격체에게 기습을 당한 후, 피신하기 직전에 중계기를 새로 설치하다가 문제가 생겼던 바로 그 포탄이다.

다행히도 로봇들은 자가증식 과정을 순조롭게 진행하는 중이다. 다만, 로봇의 종류와 수가 이전보다는 줄어있다. 아마도 중계기 설치과정의 문제로 인해 포탄의 표면이 심하게 요동친 탓에, 많은 수가 파손되었거나 손상되어 한동안은 정상적인 증식을 하지 못했을 것이다. 그리고, 예상대로 전갈이 이 생산지를 대표하는 로봇으로 자리잡고 있다.

도진은 비행선을 낮게 띄운 상태로 생산지 곳곳을 살폈다. 그렇게 한참을 살펴본 후, 어느 한 지점에 비행선을 가만히 띄워두고는 창밖으로 경관을 가만히 지켜보았다.

이 포탄에도 낮과 밤처럼 밝음의 유무가 존재한다. 거대한 에너지 덩어리인 주 포탄의 주변을 움직이며 맴도는 부 포탄의 특성상, 주 포탄에서 내뿜는 에너지 물질의 파동과 직접 마주하는 시점의 표면은 잠시 밝아졌다가, 그렇지 않을 때는 다시 어두워지는 것을 반복하는 것이다.

현시점에 도진과 일행이 머무는 지점에서는 주 포탄과 마주 보는 상태가 아니라 잠시 어두워진 밖이지만, 주 포탄으로부터의 에너지 물질을 반사한 중계기로 인해 완전한 어둠은 아닌 표면의 여러 물체를 가만히 지켜보던 진성이, 옆에 앉아 있는 여성 연구원을 보며 말했다.

"저 로봇들에게 인공지능이 있다면, 자신들이 왜 저래야 하는지 알고 있을까? 아니, 언젠가는 자신들의 진짜 정체를 알아낼 수 있을까?"

그녀에게 정확한 답을 구하기 위해 한 질문은 아닐 것이다. 그러자 그녀는 담담한 표정으로 말했다.

"어쩌면 언젠가는…."

그녀는 자신은 알 수 없다는 의미의 답을 건넸다.

아주 천천히 흘러가듯 움직이는 비행선 안에서 한동안 가만히 밖을 내다보던 도진이, 갑자기 주조종실에서 몇 가지 장치들을 제어했다. 그러자 비행선은 해당 생산지에서 로봇들이 없는 어느 한적한 지역으로 옮겨졌고, 그와 함께 비행선 아래의 작은 해치가 열리면서 둥글게 생긴 기계 덩어리 두 대가 땅으로 툭, 하고 떨어졌다.

그 기계 덩어리들은 바닥에 닿자마자 마치 웅크리고 있던 동물이 몸을 펴듯 몸체를 넓게 펼쳤는데, 그 모양새는 마치 거미와 비슷하다. 그리고 그것들은 빠르게 움직이며 매끈한 표면을 찾아, 그 위에서 빠른 동작으로 무언가를 그리기 시작했다.

그것은 모양이 제각각인 기호들의 집합이다. 멀리서 보면 마치 촘촘한 글자들이 있는 두꺼운 책을 찢어 펼쳐놓은 것만 같이 보인다. 그렇게 기호들을 그려가던 로봇들은 마침표를 찍은 후 멈춰 섰다. 그러고는, 그 기계 장치 둘은 또 다른 할 일이 있는 듯 각자 다른 방향으로 쏜살같이 내달리기 시작했다.

로봇들이 새긴 기호들의 의미는 도진이 알고 있는 모든 것들의 열거이다. 인간이라는 존재와 그들이 살아온 역사, 그 안에서 자신이 겪어온 일들, 우주의 구성 이론과 법칙 등인데, 살아온 역사 부분에는 우주 공간을 날아들어 온 괴물체로 인해 인류의 터전이 파괴되었다는 내용을 끝으로 더 이어지지 않는다. 그리고 그런 의미를 담은 기호들을 복호화하여 이해할 수 있으려면 특별한 암호키가 필요한데, 그것이 없으면 그 누구든 그 내용을 알지 못하게 되어있다.

도진이 굳이 이곳에 그런 기록을 남긴 것으로 봤을 때 누군가를 위해 새긴 것이 분명하므로, 그 암호키라는 것 역시도 여기 어딘가에 숨겨져 있을 것이다.

도진은, 그러고는 곧장 비행선을 움직여 생산지들로부터 멀리 벗어나기 시작했다. 그는 자신의 동료와 주민들이 있는 곳으로 가지 않을 생각이다. 그에게 지금 당장 갈 곳이라고는 그곳밖에 없을 텐데, 오히려 그와 다른 방향으로 가는 중이다. 그가 가는 방향에는 메이커가 있는 마을도, 비행 선단도 없다.

그렇게 시간이 흐르고 흘러, 한 비행선이 생산지의 중간 지점에 마련되어 있는, 로봇 통제시스템이 있는 비행선으로 도킹을 했다. 그리고 그곳의 핵심 시설로 한 사람이 담담한 몸짓으로 걸어 들어왔다.

그 사람은 그동안의 로봇 생산과 활동 데이터를 처리하는 프로그램을 실행시켰다. 그동안 쌓인 데이터가 많았는지, 그 완료 시간은 지구에서의 시간으로 2시간 정도가 걸렸다. 시스템의 성능을 기준해서 보자면 꽤 오래 걸린 셈이다.

자가증식형 인공지능 로봇들은, 도진이 자신의 직책을 내려놓은 후로는 그대로 방치되고 있다. 어차피 자가증식 방식인 데다가 관리와 감시 로봇들로부터 적절히 통제되고 있으니, 방치라는 어휘의 대입은 어울리지 않을 수도 있다.

도진이 최고 결정권자의 직책을 내려놓은 후, 한때 도진의 동료였던 그들이 이 로봇들에 대해 어떤 결정을 내렸는지는 알 수 없다. 어쩌면 로봇을 사용한 공격법을 버리고 다른 방법을 내놓았을 수도 있고, 아예 공격 자체를 포기했을 수도 있으며, 아니면 원래의 계획대로 진행하기 위해 시기를 조율하는 중일 수도 있다.

생산지의 로봇들은 여전히 생산이 진행 중이지만, 로봇들의 품질이 일정하지가 않다. 그 말인즉, 일부 개체에서 동종끼리 전투와 경쟁을 하는 일이 잦게 발생하는 것이다. 그 외에도 여러 가지 문제가 있지만, 대량 자가증식과 안정적인 기능이 필요한 전투 로봇이라는 정체를 빗대어보자면 그 문제가 가장 크다.

관리와 감시 로봇들이 모든 문제에 일일이 대응하는 데에 한계가 있다. 관리 감시 로봇들은 도진의 세력이 빈틈없이 운용한다는 전제하에 유용할 뿐, 그들의 제작자들이 자리를 비운 상태에서는 완전한 결과를 장담할 수 없다. 로봇도, 그 생산지도, 그것을 위한 시스템도 과도기 상태이고, 그것의 완전함을 위해서는 그 책임자인 인간의 손길이 더 필요하다.

로봇들의 활동을 분석한 결과 자료를 확인한 그 누군가는, 고개를 수시로 갸웃거리더니, 마침내 고개를 좌우로 몇 번 저었다. 그것은 부정적인 의미를 담은 표현이다. 그러고는, 1급 우수 로봇들의 활동을 중지시키고, 그 개별 데이터와 내부 프로그램은 모두 삭제했다.

그 행위에는 두 가지 의도를 추정해 볼 수 있다. 하나는 우수한 능력을 지닌 로봇의 생산을 중단시켜, 적이 있는 마을에 대한 공격을 훼방 놓는 것이고, 다른 하나는 로봇들을 자유롭게 해주는 것이다.

자유롭게 해준다는 것은, 각 개체의 내부 데이터와 프로그램이 처음 생성된 이후로 삭제되지 않고 끊임없이 이용되며 그 역할에 매진해야 하는 순환 과정을 끊어주는 것이다. 그러면 개별 ID, 설정값, 축적된 활동 이력도 모두 사라진다. 그것은 로봇들에게는 진정한 자유이며 속박으로부터의 탈출 그 자체이다.

적이 있는 마을을 되찾기 위해서 이 로봇들을 써야 한다면 여러 가지 이유로 1급 로봇들이 필요한데, 굳이 해당 로봇들의 활동을 중지시킨 데다가 축적된 데이터와 내부 프로그램까지 삭제했으니, 이런 행위를 한 자는 마을을 대상으로 한 전쟁에서 승리를 바라는 인물은 아닐 것이다.

그리고 그 작업을 마친 그는 담담한 몸짓과 표정을 하고서는 다시 타고 왔던 비행선으로 되돌아가, 그 비행선을 타고 어딘가로 향했다.

그 후 얼마 지나지 않아, 또 다른 비행선이 로봇 중앙통제시스템이 있는 비행선으로 도킹을 했다. 그리고 그곳에 도착한 그 누군가 역시도 로봇들의 생산과 활동 데이터의 분석 결과를 확인한 후 곧장 자리를 떠났다. 그는 로봇들의 활동 데이터만 확인했을 뿐, 그 어떤 작업도 하지 않은 채 떠난 것이다.

그로부터 다시 시간이 흘렀다.

전갈로 칭하는 종류의 한 로봇이, 도진이 한 생산지 표면에 새겨둔 기호들의 집합을 발견했다. 그리고 그 로봇은 그와 관련한 무언가를 탐구하기 시작했다. 그리고 그 나름의 분석 결과를 동종의 다른 로봇들에게 전파했다. 그 로봇의 행동은 그 탄생부터 그랬듯, 애초에 제작자가 의도한 행동 패턴이 아니다. 하지만, '애초에' 그랬듯 뿐, 어쩌면 누군가는 로봇의 그러한 발전을 기대했을지도 모른다.

다시 시간이 더 흘러, 우주의 한 지점에서 출발한 괴상하게 생긴 5대의 괴물체가, 날카로운 움직임으로 우주 공간을 헤집으며 내달리고 있다. 그리고 그 안에는 어떤 공격용 물질과 물체들이 잔뜩 실려 있다. 그것들은 각각 로봇 생산지 사이트 M3, M12, N2, N7, 그리고 J7을 향하는 중이다.

그리고, 그 시점에 소형 비행체 한 대가 M12 생산지 위에 떠 있는 중계기로 접근해왔다. 그리고 그 뒤편, 생산지가 직접 보이지 않는 위치에서 멈추었다.

이 소형 비행체의 크기는 매우 작아, 버스 10대를 붙여놓은 정도에 불과하다. 이 우주를 떠다니는 비행선들에 비하면 장난감 수준이다. 그리고 그 안에는 4명의 인간이 탑승하고 있다.

그 5대의 괴물체 중 하나가 생산지 사이트 M12로 근접했을 때, 그 생산지 주변으로 아주 옅은 노란색 띠가 길게 펼쳐졌다. 그러자 중계기 뒤편에 숨어 멈춰있던 소형 비행체가 급히 움직이더니, 그 띠의 중심으로 들어갔다. 그러고는, 그 비행체 내부에서 요란한 소음과 함께 복잡한 기계 장치의 작동이 시작되더니, 그 안에 있던 4명의 인간이 바닥에 쓰러졌다.

잠시 후 노란색 띠는 사라졌고, 그리고 얼마 지나지 않아 그 괴물체는 생산지 사이트 M12로 아주 가까이 접근했다. 마치 미사일처럼 움직이는 그 괴물체는 로봇 생산지 M12를 파괴하려는 것이 틀림없다.

생산지 위에 떠서 1차 방어의 역할까지 맡고 있는 중계기는 물론이거니와, 겹으로 둘려 쳐진 방호 에너지장도 그 괴물체를 당해내기에 역부족이다.

괴물체는 자비를 모르는 듯 그곳을 완전히 파괴했다.

그리고,

또 다른 우주가 깨어났다.